D1635735

La société
bloquée

DU MÊME AUTEUR

AUX MÊMES ÉDITIONS

Le phénomène bureaucratique, *1963*
Le monde des employés de bureau, *1965*
L'acteur et le système, *en collaboration avec E. Friedberg, 1977*

CHEZ D'AUTRES ÉDITEURS

Mouvements ouvriers et socialistes, chronologie et bibliographie (1750-1918), *en collaboration avec E. Dolléans, éd. Ouvrières, 1949*

Usines et syndicats d'Amérique, *éd. Ouvrières, 1951*

Petits fonctionnaires au travail, *éd. du CNRS, 1956*

Où va l'administration française?, *en collaboration avec E. Friedberg, Pierre et Catherine Grémion, J. C. Thœnig, J. P. Worms, éd. d'Organisation, 1974*

The Crisis of democracies, Report on the governability of democracies, *en collaboration avec S. Huntington et J. Watanuki, New York, 1975*

On ne change pas la société par décret, *éd. Grasset, 1979*

Michel Crozier

La société bloquée

Éditions du Seuil

ISBN 2-02-000351-1

INTRODUCTION

AVANT-PROPOS

Que la société française soit une « société bloquée », tout le monde désormais l'admet, même si ce n'est que du bout des lèvres.

Mais le problème n'est pas de dénoncer les méfaits de nos structures ou de nos habitudes, et encore moins de rêver au monde merveilleux qui serait le nôtre, si seulement nous voulions bien accepter l'une ou l'autre des multiples recettes de nos maîtres à penser. Il est de comprendre et de faire changer.

Pourquoi la société française s'est-elle bloquée dans son carcan bureaucratique et paternaliste ? Pourquoi les Français passent-ils leur temps à renforcer par leurs récriminations mêmes le système dont ils souffrent ?

Comment changent-ils ? Comment pourraient-ils changer ? Comment la connaissance pourrait-elle les aider à mieux changer ou à changer autrement ?

Tel est le double sujet de cet ouvrage, fruit d'une série de rencontres douloureuses entre mon expérience de chercheur et mes frustrations de citoyen.

La plus large part de ces essais ont été écrits dans les deux années qui précédèrent la crise du mois de mai. Leurs thèmes — celui du pouvoir, celui de la participation, celui du changement et celui de la crise — sont les thèmes mêmes qui ont été le plus profondément vécus par beaucoup de nos concitoyens au cours de l'explosion révolutionnaire à laquelle nous nous sommes livrés.

Les derniers essais sont des tentatives de réponses à la crise qui s'est ouverte depuis cette époque.

Le terme de société bloquée a été imaginée par mon col-
lègue et ami Stanley Hoffmann, pour rendre compte, dans
un chapitre de *A la recherche de la France*, de ce phénomène
auquel nous avons consacré de longues heures de discussions
passionnées.

Les idées qu'on trouvera exprimées dans cet ouvrage sont
nées elles aussi de multiples confrontations, aussi bien au
C.N.R.S. qu'à l'université de Harvard et au Club Jean Moulin.
Elles ont toutefois plus particulièrement été fécondées par
l'expérience de recherche en équipe que j'anime depuis sept
ans au Centre de Sociologie des Organisations. A tous mes
collègues, associés ou amis qui m'ont directement et indirectement aidé dans mon effort, je dédie ce livre qui leur
doit beaucoup.

Je tiens à remercier les éditeurs des *Archives européennes
de sociologie*, de *Sociologie du travail*, de *Communications*,
d'*Expansion* et de *Preuves* qui ont bien voulu autoriser la
reproduction partielle ou totale d'articles publiés dans leur
revue.

DE LA RESPONSABILITÉ DU SOCIOLOGUE
DANS NOTRE SOCIÉTÉ

C'est en tant que sociologue que je m'exprime et prends parti sur les problèmes de notre société. C'est dire que ma contribution a été façonnée par un certain type de connaissance et dépend, de ce fait, de méthodes d'analyse, de modes de raisonnement et, partant, d'une logique particulière.

Cette logique est mal comprise. Ni sa nouveauté ni ses limites ne sont, en fait, perçues. Le sociologue suscite, bien à tort, un effroi sans fondement et un enthousiasme inconsidéré.

Du caractère véritable de sa contribution — très partielle, mais très concrète aussi — il importe que le lecteur soit averti. Le sociologue porte une responsabilité dans la société en crise dans laquelle nous vivons. Mais cette responsabilité doit être jugée en fonction de sa capacité réelle de compréhension, et non pas en fonction des besoins et des rêves de cette société.

RÉALITÉS ET FICTIONS DE LA SOCIOLOGIE

Depuis dix ans au moins, dès qu'un journaliste ou un essayiste à la page veut évoquer la « densité humaine » d'une situation, il lui faut faire appel à des facteurs, un contexte, un arrière-plan, des forces « sociologiques ». Cet usage inconsidéré de l'épithète « sociologique » a pour résultat d'égarer le public en lui donnant l'impression complètement erronée que l'usage de la sociologie est très répandu et que cet usage est à la fois arbitraire et dangereux. En effet, l'homme qui explique par le « contexte sociologique » ne donne pas une explication qui appellerait contestation, recherche et vérification, il suggère à celui qui le lit l'image d'une extraordinaire toile d'araignée de déterminismes rigoureux faisant tomber les dernières illusions de sa liberté.

Rien n'est plus faux que cette image. Les quelques douzaines de chercheurs qui se déclarent « sociologues » et les quelques centaines de formateurs et de praticiens divers qui mettent en œuvre des techniques ou des méthodes inspirées de travaux de sociologie ou de psychologie sociale n'ont pas eu le moindre poids dans la conduite réelle des affaires. L'influence de la sociologie dans la formation des Français de demain reste dérisoire par rapport aux leçons de littérature et de philosophie des lycées et collèges. L'engouement récent des étudiants des facultés des Lettres pour la sociologie n'a pas du tout aidé à la diffusion de l'acquis de la sociologie scientifique, et l'explosion de mai a compromis temporairement les timides progrès réalisés.

Mais, diront certains, la sociologie n'en est pas moins potentiellement dangereuse. En démontant les ressorts du comportement de l'homme en société, la sociologie et la psychologie sociale permettent de le manipuler et de le contrôler. Si on laissait faire, il ne serait plus possible de se révolter ou même d'innover sans être traité de déviant et, à la limite, sans être soigné comme déviant.

On a peur que le sociologue ne démontre que les conflits d'une société sont absurdes et qu'il ne la prive ainsi de son meilleur ferment d'activité, de progrès et d'innovation.

L'argument est puéril. Si les conflits sont réels, la moindre rigueur scientifique obligera à en reconnaître les vraies dimensions, et si ce ne sont pas des conflits réels, alors le travail du sociologue permettra de découvrir les vrais conflits qui sont masqués par de fausses oppositions. En faisant œuvre scientifique, le sociologue ne supprime pas du tout la lutte, mais il la rend plus claire, c'est-à-dire finalement plus concrète et plus humaine.

Certes, certains sociologues, peu nombreux d'ailleurs en France, ont vécu dans l'illusion que la concorde et l'harmonie étaient « meilleures » que la lutte et les conflits, et que leurs connaissances allaient pouvoir servir cet enthousiasme humaniste qui était le leur. Mais dans toutes les disciplines scientifiques, des âmes généreuses ont partagé de telles illusions sans grand dommage pour le progrès de leur science, et on peut remarquer que beaucoup de contestataires plus ou moins fouriéristes partagent au fond cette illusion qu'il est possible de bâtir une société harmonieuse sans conflit.

Dans des milieux plus conservateurs, on pense volontiers que la sociologie, par essence déterministe, est une menace pour la liberté de l'homme. Le jour où son développement permettra d'introduire la connaissance des faits humains dans la machine, l'homme n'aura plus rien à décider, puisqu'on pourra désormais découvrir scientifiquement la solution qui assurera le plus grand bonheur du plus grand nombre de personnes. Cette vision grossière est aussi naïve actuellement pour les sciences humaines qu'elle l'était il y a un siècle pour les sciences physiques.

En fait, tout progrès réel des connaissances, tout passage à un niveau d'explication plus élaboré, loin de nous enfermer dans un réseau de déterminismes rigides, nous fait prendre conscience d'une nouvelle série de problèmes et de nouvelles formes de libertés que nous étions incapables de concevoir.

Dans certains milieux dirigeants enfin, on déclare facilement que les sociologues consacrent d'immenses efforts (et beaucoup d'argent) à démontrer finalement ce que tout le monde savait déjà. Il peut y avoir malheureusement parfois plus de vérité dans ce type d'argument que dans celui des contestataires. Mais aucune discipline scientifique n'est exempte de ces risques et, vu l'importance des crédits, le gaspillage est certainement beaucoup plus considérable dans les sciences physiques.

Il faut aussi et surtout remarquer que l'apparence de problèmes de bon sens que revêtent les problèmes dont traitent les sociologues ne leur facilite ·pas la tâche, car chacun croit posséder sur ces problèmes toutes les lumières nécessaires pour faire éclater des évidences en fait toujours contradictoires. Dans la réalité, ce que l'on appelle vérité d'évidence est une proposition communément admise, mais qui est contredite par deux ou trois autres propositions tout aussi communément admises. Nous nous sommes amusés deux ou trois fois en cours d'enquête à faire parier des dirigeants d'entreprise ou d'administration sur celle des vérités d'évidence qui sortirait de nos travaux. Nous n'eûmes pas la cruauté de leur rappeler leurs prédictions au moment des résultats. Déterminer entre les quelques opinions possibles laquelle est juste ne paraît pas à première vue l'objectif d'une œuvre créatrice, mais on reconnaîtra que du point de vue de la connaissance cela permet de faire des progrès.

L'œuvre créatrice du sociologue toutefois se passe à côté et au-delà. Elle consiste à élaborer les hypothèses qui s'avéreront fructueuses, à les tester, à interpréter les résultats et à lancer à partir d'une connaissance plus avancée les nouvelles idées originales qui stimuleront la pensée. Aventure modeste comme toute aventure véritablement scientifique, mais qui permet lentement de grignoter l'inconnu. C'est sur un tel travail que le sociologue aimerait être jugé.

Il n'a envie ni de faire peur, ni de séduire. Il sait qu'il ne peut apporter aucune réponse aux questions trop vastes, auxquelles on voudrait lui voir répondre, tout en craignant qu'il réussisse à le faire. Mais il sait qu'il peut contribuer sérieusement au progrès des connaissances, et plus précisément à la compréhension que l'homme peut avoir des conditions et des résultats de son action, et que ses efforts auront finalement plus d'importance pour l'élaboration de la cité future que les plus séduisantes spéculations.

L'ACCÉLÉRATION DU CHANGEMENT BOULEVERSE
LE RÔLE DU SOCIOLOGUE

Le lecteur n'aura certainement pas reconnu dans cette première analyse, qui n'est pas loin d'une profession de foi, le personnage un peu caricatural que l'imagerie populaire a largement diffusé depuis le mois de mai 1968.

Cette imagerie certes traduit mal la réalité. Mais elle n'est tout de même pas complètement fausse. La majorité des sociologues a été effectivement terriblement perturbée par l'explosion révolutionnaire que nous avons connue, et à laquelle elle a été directement mêlée. Depuis lors, la sociologie se trouve plus profondément en crise qu'aucune autre discipline ou profession intellectuelle. Le comportement « réaliste » dont j'ai tracé le modèle persiste et retrouve même une vigueur plus grande, mais il reste encore numériquement minoritaire face à des sociologies plus ou moins engagées qui témoignent davantage des incertitudes de notre temps que de la capacité d'analyse scientifique des sociologues.

La confusion et la crise présente illustrent bien en revanche le problème très profond que commence à poser la transformation des conditions et des méthodes de l'action au sein d'un monde en changement de plus en plus accéléré.

Si la sociologie n'a joué jusqu'à présent aucun rôle, ses problèmes sont en train de devenir des problèmes cruciaux, dans la mesure où ils paraissent devoir répondre à l'angoisse croissante des hommes devant les responsabilités nouvelles que cette transformation leur apporte.

La popularité de la sociologie et la crise qu'elle subit, si elles n'ont rien à voir avec la réalité des faits présents, ne sont pas cependant apparues par hasard. Elles sont le résultat de la prise de conscience soudaine par l'élite de la jeunesse occidentale de la transformation radicale des rapports traditionnels entre les sciences sociales et l'action.

Pourquoi ?

Il vaut la peine de s'arrêter un peu plus longuement sur le problème, car son examen permet de mesurer plus concrètement le rôle et la responsabilité actuelle de l'intellectuel dans le monde moderne. Jusqu'alors, le sociologue avait pu rester un idéologue bien protégé contre la réalité des luttes concrètes qui pouvaient agiter les sociétés. Non qu'il n'eût ses passions, ses préjugés et ses partis pris. Non qu'il n'eût parfois une certaine influence intellectuelle. Mais cette influence s'exerçait au niveau des principes, et non pas au niveau des choix responsables. La méthode d'analyse du sociologue l'orientait forcément soit du côté descriptif, soit du côté normatif. Certes, la description pouvait devenir dévoilement, démystification, et saper ainsi les fondements de l'ordre établi, tandis que la prescription devenait engagement et combat. Mais la science, en tant que science, pouvait rester, elle, dans le royaume serein du débat d'idées.

Dans une société où les changements restaient lents, les hypothèses sur le fonctionnement des institutions pouvaient s'élaborer en dehors d'une réflexion consciente et responsable sur l'intervention possible des hommes. L'utilisation de méthodes plus objectives permettait de percevoir les illusions de dirigeants qu'aveuglait leur superficiel pouvoir, alors que la révolution des techniques imposait inévitablement la transformation des structures dont ils dépendaient. Extrapolant plus ou moins habilement de l'analyse du passé à l'anticipation de l'avenir, de la connaissance des contradictions à leur résolution, philosophes et sociologues pouvaient se contenter de spéculer sur l'évolution des sociétés ou sur la révolution qui allait leur imposer un nouveau (ou dernier) départ.

Evolution partielle ou révolution libératrice de toute façon restaient en fait hors de la volonté rationnelle et délibérée de l'homme. Le combat révolutionnaire, tout chargé qu'il était d'émotions millénaristes, n'était pas très différent après tout d'une guerre de religion.

Ce sont les frustrations qu'imposait cette dichotomie entre un monde de la pensée étroitement positiviste et un monde de l'action encore dominé par des principes d'ordre moral et religieux, qui ont fait le succès du marxisme. Science et morale à la fois, le marxisme, en effet, résolvait la quadrature du cercle, grâce à laquelle l'homme pouvait être rétabli dans sa plénitude. L'opération n'était possible qu'en réduisant la description scientifique à un fonctionnalisme figé et en dépouillant l'engagement moral de toute épaisseur existentielle. Mais le prix avait beau être lourd, la soif de plénitude et de cohérence était suffisante pour le faire oublier.

Ces modes de raisonnement sont désormais directement remis en cause. L'accélération du changement en effet transforme complètement la possibilité que nous avons de connaître les responsabilités qui sont les nôtres. Nous vivons désormais assez longtemps pour être témoins des conséquences de nos actes. La société est forcée de devenir consciente de ses choix. Bien sûr, la complexité des variables en cause constituera longtemps encore un écran protecteur. Mais si le voile ne se déchire pas plus vite, c'est beaucoup plus parce que nous ne le voulons pas que parce que nous ne le pouvons pas. Et malgré les résistances, les sciences sociales commencent déjà à devenir expérimentales au niveau de l'individu et du petit groupe. Il serait désormais possible de mettre en place les premiers essais expérimentaux au niveau d'organisations ou d'institutions complexes.

Ce changement de perspective sera à la longue d'une importance comparable à la révolution galiléenne. Il condamne irrémédiablement à long terme toutes les idéologies, même s'il réhabilite paradoxalement une imagination utopique qui paraissait dépassée. La nouvelle méthodologie de la décision qui est en train de s'élaborer tend à supprimer la dichotomie traditionnelle entre le monde des fins et le monde des moyens. Quand elle aura pu imposer la substitution de sciences sociales expérimentales aux disciplines dogmatiques ou seulement descriptives d'hier, nous passerons irrésistiblement, dans le monde de l'organisation sociale aussi, d'un raisonnement fondé sur la priorité des principes à un raisonnement fondé sur la priorité de l'expérimentation.

Une telle transformation n'est encore que très peu avancée. Mais ses virtualités qui commencent à se dessiner suffisamment sont tellement inquiétantes pour nos conceptions traditionnelles du monde que l'on conçoit qu'elles aient pu provoquer un choc en retour aussi violent que celui que nous sommes en train de vivre.

Comme au cours de toutes les grandes mutations culturelles de l'humanité, il est donc naturel qu'on assiste à une effervescence révolutionnaire extrêmement vive.

Peut-être réussirons-nous à éviter les profondes secousses que connut la société occidentale par exemple avec la Réforme. Mais ce sont à des problèmes intellectuels du même ordre que nous devons faire face.

En tout cas, il n'est pas étonnant que devant une mutation culturelle aussi profonde, tous ceux qui sont engagés dans l'aventure intellectuelle aient des réactions profondément contradictoires. D'un côté, on tend à exagérer les possibilités immédiates de compréhension et d'intervention, on renchérit sur le degré possible de rationalité jusqu'à rêver de maîtriser totalement tous les déterminismes humains. De l'autre, on reflue en panique aux sources et aux principes dans un grand mouvement de fanatisme « fondamentaliste » qui nie la science et la raison.

Les deux courants s'opposent et se mêlent à la fois, non seulement dans la même société et dans les mêmes milieux, mais à l'intérieur même des individus. L'arrogance rationaliste qui a été longtemps caractéristique de la pensée libérale américaine n'est, par exemple, pas complètement absente de la grande poussée anarchiste actuelle, dont beaucoup des protagonistes se bercent, quand c'est nécessaire, de l'illusion qu'une fois la transparence totale atteinte, les capacités rationnelles des ordinateurs sont suffisantes pour assurer le maintien de la société.

On s'étonnera peut-être de la disproportion entre le caractère très intellectuel des problèmes soulevés et l'ampleur des réactions auxquelles nous avons assisté. C'est que ces problèmes intellectuels, comme les problèmes que Luther sut dramatiser, mettent en jeu des éléments sacrés de notre conception du monde.

Que la société puisse devenir consciente des forces qui la gouvernent et soit ainsi poussée à se manipuler elle-même, est après tout un phénomène effrayant. Notre équilibre antérieur était fait d'ignorance et d'impuissance. Une connaissance meilleure de la réalité et de nos propres possibilités est en train de nous forcer à agir. Mais au nom de quoi pouvons-nous le faire ? Quelles fins supérieures peuvent autoriser une intervention, alors justement que les fins traditionnelles apparaissent dévalorisées ? Pouvons-nous pourtant refuser d'intervenir, alors que nous sommes mis quotidiennement en face des scandales que constituent les conséquences visibles d'actes humains ?

C'est face à ces contradictions douloureuses que le mouvement de fureur iconoclastique que tout le monde occidental a vécu et vit encore de façon plus ou moins larvée a pu se développer. Ce sont elles qui ont provoqué ce formidable retour d'affectivité irrationnelle et provisoirement incontrôlable qui fait davantage penser à la Guerre Sainte de la tradition musulmane qu'à un mouvement intellectuel.

Briser le miroir est une façon d'échapper à l'angoisse du choix. Bien sûr, on n'a pas de peine à montrer que ce miroir n'était pas fidèle, mais ce qu'on lui reproche instinctivement ce n'est pas de mal montrer, c'est de trop montrer, et la réaffirmation fanatique des principes du marxisme primitif les plus éculés et les plus controuvés par l'expérience en est le témoignage. *Credo quia absurdum,* on veut se rassurer par l'appel à la foi, c'est-à-dire revenir en arrière, à cet état d'innocence que menace désormais le fruit perfide de la connaissance.

LES SOCIOLOGUES PEUVENT-ILS EFFECTIVEMENT RÉPONDRE
AUX PROBLÈMES QUE POSE LE CHANGEMENT ?

Face à ces illusions faciles et à cette régression panique, les sociologues peuvent-ils effectivement répondre aux problèmes que pose le changement ?

Certainement non, s'ils continuent à vouloir maintenir l'attitude dogmatique et pontifiante qu'ils ont héritée de leur passé d'idéologue.

Oui, peut-être, dans la mesure où ils sont capables d'accepter le statut plus modeste des sciences expérimentales.

Le problème est plus difficile et particulièrement crucial dans une société comme la société française qui est comme — ce sera l'argument sous-jacent de cet ouvrage — une *société bloquée*. Une telle société ne manque pas de parler constamment de changement, mais elle se refuse, malgré ses apparences révolutionnaires, à envisager le moindre changement réel, et une de ses armes essentielles est son extraordinaire capacité à masquer la réalité ou à la brouiller. Ce défaut très profond s'est alourdi à mesure même que la pression du changement se faisait plus forte, et paradoxalement il serait possible de montrer que la société française de 1900 était beaucoup plus consciente des mécanismes de son fonctionnement que ne l'est la société française d'aujourd'hui [1].

Le sociologue s'est mis tout d'un coup à fasciner le monde intellectuel français dans la mesure où, s'étant attribué ou ayant reçu ce mauvais rôle d'être le préposé à une vérité que l'on refusait de voir, il est devenu, par la force des circonstances, celui par qui le scandale arrive.

Ses discours ésotériques et ses débats obscurs sont apparus tout d'un coup chargés d'un sens second, comme les textes de la Bible ou ceux du *Capital*, à travers lesquels, dans les crises précédentes, d'autres générations s'étaient entre-divisées.

Mais ce rôle d'oracle a tendu en fait à étouffer l'apport original qu'il pouvait déjà donner et à rendre plus difficile le dépassement nécessaire de la tradition préscientifique dans laquelle il était enlisé.

C'est que le problème du changement est beaucoup plus difficile qu'il n'y paraît à poser en termes scientifiques.

---

1. Nous reprendrons ce problème dans les chapitres VI et VII et surtout dans le dernier chapitre.

Tout d'abord, les sociologues n'ont pas encore appris à maîtriser la dimension du temps dans leurs analyses. D'autre
part, et surtout, ils restent paralysés comme la plupart des
intellectuels par leur propre ambivalence qui les fait constamment osciller en la matière entre deux attitudes opposées : *l'illusion déterministe* selon laquelle la mécanique
sociale ne peut laisser aucune place à la liberté humaine
et *l'illusion volontariste* qui les porterait à croire au contraire que la société peut se réformer en fonction d'objectifs
qu'il leur appartiendrait de fixer en toute liberté.

La méthode intellectuelle à laquelle finalement doit avoir
recours tout sociologue, qui est une méthode « fonctionnaliste » ou « systémique », le rend très vulnérable à ces ten-
tations contradictoires. Une telle méthode, en effet, consiste
essentiellement à mettre en évidence l'interdépendance des
divers éléments d'un système et des divers niveaux ou paliers
d'une même réalité, et à en analyser les mécanismes. Or, à
partir d'un tel raisonnement, on a tout naturellement tendance à la fois à exagérer le déterminisme et à le renverser
par le dépassement dans un volontarisme total.

A un premier niveau, par exemple, qui fut en partie celui
du marxisme, on s'émerveille des contradictions que l'on
découvre dans la chaîne fonctionnaliste et l'on en déduit
l'imminence du changement qui doit les résoudre, comme
si tout système devait tendre inéluctablement à l'harmonie. Le déterminisme est catastrophique et l'on attend de
la crise son renversement dans un univers de volontarisme
total.

A un second niveau, qui est encore celui d'une certaine
sociologie américaine, on a pris conscience de l'existence
d'interdépendances beaucoup plus profondes sous les apparences de la contradiction, mais on se laisse aller à les croire
beaucoup plus étroites qu'elles ne le sont réellement et on
tend à penser en outre que c'est toujours la couche la plus
profonde de la réalité — celle des valeurs — qui commande
toutes les autres. S'il en est ainsi, ou bien on admet que le
changement échappe à la responsabilité humaine, ou bien
on rêve d'une action psychologique sur les valeurs qui,

transformant l'homme par l'éducation, déclencherait automatiquement la transformation du système social.

Le nœud du problème, ce sont les postulats implicites que les premiers efforts de sociologie scientifique ont, par un glissement inconscient, entraînés avec eux. En fait, l'expérience scientifique déjà accumulée nous a appris :

1. que l'harmonie n'est pas la forme vers laquelle tend un système ; conflits et contradictions sont inséparables de son fonctionnement ; ils ne sont jamais résolus mais dépassés dans d'autres conflits et d'autres contradictions ;

2. qu'il subsiste toujours une large marge de jeu entre les divers éléments d'un système et les différents niveaux d'une réalité : dans tous les systèmes vivants que nous connaissons coexistent des éléments théoriquement incompatibles ; le principe de cohérence n'est pas un principe plus régulateur que le principe d'harmonie ;

3. que s'il y a toujours répercussion dans le fonctionnement d'ensemble d'un système d'un changement opéré à un seul niveau, ce n'est pas le niveau le plus profond qui commande : un rajustement peut avoir lieu à partir de n'importe quel point et de n'importe quel niveau.

Si l'on veut vraiment poser le problème du changement en termes rationnels, c'est-à-dire expérimentaux, il faut oublier l'énorme accumulation des gloses scolastiques et partir de ces constatations empiriques.

Deux questions apparaissent alors centrales :

1. Comment, sous quelles conditions et à partir de quel moment, les tensions qui, au sein d'un système stable, tendaient à renforcer ce système, deviennent trop difficiles à maintenir et provoquent des ruptures, des renversements et éventuellement une transformation ?

2. Comment et dans quelles limites les membres d'un système peuvent-ils apprendre d'autres règles que celles dont l'opération les ramène naturellement au système traditionnel ? Y a-t-il des processus d'apprentissage social ou institutionnel comparables aux processus d'apprentissage individuel mis en évidence par les psychologues ? Quelles en sont les conditions d'apparition ?

Dans la perspective de questions ainsi formulées, de grands progrès ont déjà été accomplis au niveau des petits groupes. Au niveau des organisations, nous en sommes réduits encore aux analyses comparatives. Mais ces analyses commencent à être cumulatives. C'est en les contrôlant, en les opposant et en étudiant les conditions de généralisation de leurs enseignements, que nous commençons à sortir des faux débats dans lesquels nous étions enfermés.

Les réflexions que l'on trouvera dans cet ouvrage constituent une série d'applications de cette problématique aux problèmes-clefs auxquels doit faire face une société post-industrielle et une analyse des difficultés de la société française et de ses possibilités de changement dans un contexte ainsi défini.

Ces réflexions sont fondées sur des hypothèses très spéculatives, dont je suis le premier à reconnaître qu'elles ne sont pas encore démontrées. Mais leur logique est une logique toute différente de la logique intellectuelle traditionnelle. Mes arguments ne sont ni des arguments de cohérence intellectuelle, ni des arguments de nature « normative ». Ce sont des arguments fondés sur une expérience d'enquêtes, dont les plans comparatifs constituent les premiers substituts des plans expérimentaux de demain. Quelles que soient leurs insuffisances, elles ont permis au moins une régulière confrontation avec la réalité.

On sera peut-être surpris du caractère au premier abord optimiste de mon discours. Ces enquêtes et cette confrontation m'ont conduit à une appréciation beaucoup plus favorable que ce n'est généralement le cas des conditions réelles de liberté et de responsabiltié de l'homme d'aujourd'hui.

Ce contraste correspond peut-être à un simple effet de perspective. Nous avons trop coutume de réfléchir aux contraintes et aux menaces de l'avenir, sans prendre garde que l'homme qui aura à subir ces contraintes et à faire face à ces menaces sera très différent de l'homme d'aujourd'hui.

Les contraintes d'autrefois nous paraissent légères, dans la mesure où nous les interprétons avec nos capacités d'analyse actuelles ; mais elles étaient extrêmement lourdes pour les hommes d'autrefois qui étaient effectivement très profondément manipulés et exploités, grâce à des procédés qui n'auraient plus aucune prise sur nous.

On a une vue certainement plus réaliste, en tout cas moins pessimiste, de l'avenir, si on tient compte de cette déformation que l'observateur fait subir à l'objet de son analyse.

Ce que les sciences sociales nous révèlent de l'infini conditionnement de notre existence nous effraie profondément. Une réaction de défense conduit beaucoup de jeunes à tout rejeter, comme si supprimer la connaissance pouvait supprimer le conditionnement.

Il leur reste à apprendre que c'est au contraire seulement par la connaissance qu'ils arriveront à reprendre leur liberté. Si une étude hâtive de la sociologie semble nous condamner au déterminisme, c'est par un approfondissement d'une science plus authentique que nous pourrons nous rendre capables de plus de liberté.

PREMIÈRE PARTIE

LES NOUVELLES DONNÉES DU LIEN SOCIAL DANS LES SOCIÉTÉS AVANCÉES

DU PROBLÈME DU POUVOIR
DANS LES SOCIÉTÉS AVANCÉES

Toute crise qui prépare ou accompagne la mutation profonde d'une société oblige à faire face à nouveau au problème fondamental de toute vie collective : *le problème du pouvoir*.

Ce n'est pas au problème du pouvoir, mais à celui de l'autorité[1], il est vrai, que nos contestataires s'accrochent. Mais le fait que l'autorité, ou plutôt une autorité traditionnelle ou légale, puisse s'affaiblir ou même s'effondrer, ne signifie pas que les rapports entre les hommes puissent devenir tout d'un coup libres et transparents. Dès que la légitimité ancienne, en laquelle généralement ses détenteurs eux-mêmes ont perdu la foi, se trouve sérieusement contestée, des phénomènes de pouvoir nouveaux apparaissent qu'on ne peut ignorer, sous peine de susciter une pression irrésistible pour le retour à la forme ancienne de légitimité.

La vogue du marxisme et la violence des antagonismes qu'il a suscités nous ont masqué longtemps l'importance de ce problème dans une société qui a déjà profondément changé et qui est peut-être mûre pour changer davantage.

Dans le feu d'un débat de plus en plus anachronique, dont tous les termes de référence sont encore ceux du XIXᵉ siècle,

1. Nous distinguons ici le problème de l'*autorité* — toute forme de pouvoir reconnue comme légitime par la loi, la coutume ou un suffisant consensus de ceux qui y sont soumis — du problème du pouvoir en général, c'est-à-dire de toutes les formes de relation entre les hommes marquées par des phénomènes de dépendance, de manipulation ou d'exploitation.

nous nous sommes laissés aller à croire que le problème du pouvoir était second, par rapport à des problèmes plus essentiels comme celui de la propriété ou celui du développement dont il n'était qu'un instrument ou au mieux une justification.

Mais l'expérience des crises internes que connaissent maintenant les institutions les plus diverses qui forment la trame de notre société nous fait mesurer tout d'un coup la primauté des problèmes de gouvernement, au sens le plus large d'organisation des rapports de pouvoir entre les hommes.

Mieux nous mesurons la fragilité d'un ordre ancien qui ne reposait après tout que sur des conventions, et découvrons ainsi la réalité de notre liberté en la matière, plus nous sommes obligés de reconnaître que nous ne pouvons échapper à ce problème, qu'il nous faut aboslument trouver un moyen de régler les relations de pouvoir entre les hommes et que tous les autres problèmes ne sont que des conditions ou des conséquences de ce problème premier.

Les propositions simplistes et les revendications fanatiques que la crise semble faire partout fleurir ne s'inscrivent pas en faux contre cette analyse, si on les interprète comme des réponses affolées et des tentatives désespérées de retrouver la sécurité des distinctions bien tranchées, devant l'angoisse que suscite la découverte de notre liberté.

Les sciences sociales peuvent-elles nous permettre d'aborder de façon plus positive un problème aussi perturbant ?

Elles sont, elles aussi, profondément influencées par les modes et les tabous d'une époque où l'on a passé beaucoup de temps à éviter ces difficultés. Mais c'est seulement à travers elles et par leur renouvellement que l'on peut poser vraiment le problème dans toute son ampleur. C'est par leur effort que l'on peut surtout mesurer les progrès qu'a rendus possibles l'évolution et juger de la capacité future des hommes à trouver de meilleurs arrangements pour y faire face.

LES INCERTITUDES DES SCIENCES SOCIALES

Le concept de pouvoir est un concept indispensable pour les sciences sociales : des phénomènes de pouvoir accompagnent nécessairement tous les processus d'intégration sociale qui constituent un des objets, sinon l'objet essentiel d'étude de la sociologie ; on peut dire à la limite qu'il n'y a pas d'intégration, pas de société possible sans pouvoir.

Mais des sciences encore peu développées, et reflétant de ce fait très directement les préjugés de leur temps, sont très mal préparées à utiliser efficacement un tel concept.

Le concept de pouvoir en effet est extrêmement embarrassant. Trop vague ou trop ambigu, il permet d'expliquer trop facilement trop de problèmes. Surtout, c'est un concept difficile à clarifier, car son imprécision et les contradictions qu'il soulève ne tiennent pas à l'incertitude du vocabulaire, mais à l'ambiguïté des faits eux-mêmes.

Devant de telles difficultés, sociologie et science politique ont longtemps reculé. Chez les sociologues d'orientation empiriste, influencés par un scientisme assez étroit, on a presque toujours prétendu faire abstraction de phénomènes trop imprécis et impossibles à quantifier ; on a étudié les déterminants des attitudes et des comportements, comme si ne pouvaient exister entre les individus et les groupes que des liens formels ou des phénomènes d'attraction spontanée. Chez les sociologues plus classiques ou plus humanistes, il semble qu'on ait au contraire projeté sur ce thème confus les schémas d'interprétation systématique qu'on ne pouvait développer ailleurs ; d'où la floraison des théories conspiratoires du pouvoir et de leurs antithèses rhétoriques, les théories de l'absence ou du partage universel du pouvoir. Mais cette fascination devant le mythe du pouvoir ne s'est pas avérée au fond plus constructive que l'ignorance des scientistes et, tout compte fait, les deux attitudes apparaissent complémentaires.

Pour surmonter ces contradictions, il faut à nouveau regarder en face cette petite tache que tous les parfums de toutes les Arabies idéologiques ne pourront jamais effacer : aucune relation concrète entre des individus ou entre des groupes humains ne peut jamais être dépouillée de sa dimension de pouvoir.

Depuis quelques années déjà, des progrès ont été accomplis dans cette voie. Petit à petit, nous apprenons à considérer le problème de façon expérimentale. Nous en sommes redevables d'abord au développement de disciplines nouvelles, telles que la théorie des décisions, et à l'influence que ces disciplines ont exercée sur la science politique et sur la sociologie, ensuite au progrès des connaissances empiriques et expérimentales en matière de sociologie des organisations.

Démarche théorique et démarche empirique, cette fois, convergent pour essayer de poser en termes concrets, sinon encore opérationnels, les problèmes du gouvernement des hommes.

Cette orientation nouvelle ne manque pas toutefois de soulever de nombreuses difficultés. L'embarras et les contradictions que suscitent les phénomènes de pouvoir ne peuvent en effet être dissipés que progressivement. Ils se manifestent en particulier sous trois aspects très différents : l'aspect moral, l'aspect logique et l'aspect méthodologique.

Du point de vue moral, il est extrêmement difficile encore de se débarrasser de tous les interdits moraux qui se sont accumulés sur un tel thème. Tout le monde se prétend libre en la matière. Mais cette liberté consiste essentiellement à étouffer le problème. Le tabou du pouvoir reste, pour le moment encore, plus profondément ancré peut-être dans la conscience de l'homme moderne que le tabou sexuel. Tel intellectuel bien pensant qui s'offusque désormais que l'on ose encore parler de bien ou de mal à propos de conduites sexuelles, se déclarerait profondément choqué devant un effort d'analyse scientifique portant sur des rapports de dépendance ou de domination. Domination et dépendance lui apparaissent, nous apparaissent généralement, en effet, comme des catégories morales, et non comme des faits.

Du point de vue de la logique, les phénomènes de pouvoir, parce qu'ils sont des phénomènes intégrateurs, ressortissent naturellement à des modes de raisonnement contradictoires, et à première vue inconciliables. Pour être compris, ils exigent que soient poursuivies à la fois une analyse rationnelle classique d'ordre instrumental et une analyse d'une rationalité opposée d'ordre affectif. Le pouvoir, en effet, ne se conçoit que dans la perspective d'un but, ce qui signifie que le jeu du pouvoir obéit toujours d'une certaine manière aux règles d'une rationalité fondée sur l'efficacité ; mais il entraîne en même temps des phénomènes affectifs extrêmement puissants et le jeu du pouvoir se trouve également conditionné par les possibles réactions affectives des individus qui s'y engagent et qui ne manqueront pas d'en être affectés.

Du point de vue structural, enfin, aucune relation de pouvoir ne peut être dissociée de l'ensemble ou des ensembles institutionnels, à l'intérieur desquels elle se développe. Il ne peut y avoir de champ neutre. Toute relation de pouvoir se trouve conditionnée par toute une série de contraintes « structurelles » qui conditionnent les règles du jeu, auquel les individus peuvent jouer. Elle exprime donc au second degré la logique de ces institutions ou de ces structures, et, si autonome qu'elle soit, elle ne peut changer profondément sans qu'il n'y ait répercussion sur cet ensemble dont elle est partie intégrante.

Devant ces obstacles, sociologues et politistes ont tendu trop souvent à se réfugier dans la description et à fractionner leurs analyses. Ils ont distingué par exemple les types de pouvoir en fonction de leurs méthodes d'exercice : pouvoir reposant sur la coercition et pouvoir reposant sur la disposition de récompenses ou sur des mécanismes d'identification — pouvoir de l'expert et pouvoir légitime. Cette façon de procéder peut être utile, surtout dans une première étape. Mais elle bute tout de suite sur un problème insoluble, car elle ne permet pas de comprendre comment s'opèrent les arbitrages entre les différents types de pouvoir. La

principale vertu du pouvoir en tant que phénomène d'intégration c'est, en effet, d'être susceptible de confrontation,
de transfert et d'échange. Si on déclare que des pouvoirs
issus de source différente n'ont pas de commune mesure et
ne peuvent être comparés, il n'est pas possible de comprendre et de prévoir comment, dans la réalité, ces différents
pouvoirs composent entre eux et s'équilibrent. Prenons un
exemple concret. Il est certain que le pouvoir légitime d'un
maire sur les employés municipaux qui lui sont officiellement
soumis est tout à fait différent du pouvoir que peuvent avoir,
sur ces mêmes employés, des intérêts privés susceptibles
de les récompenser ou les réseaux de relation dont ils
dépendent pour réussir dans leur tâche. Ces multiples pouvoirs qui s'exercent sur les mêmes personnes sont évidemment de nature différente et il importe de ne pas les confon-
dre.

Mais si ces phénomenes doivent être nettement distingués
et éventuellement opposés, il n'en reste pas moins indispensable de découvrir ce qui leur sert de dénominateur commun
pour comprendre le mécanisme de leur confrontation et en
prévoir le résultat.

Il faut donc absolument dépasser cette approche descrip-
tive, dont l'objet est avant tout de diversifier et de classer
pour fonder si possible empiriquement une analyse « stratégique » permettant de mesurer les forces en présence et de
dégager les lois de leur négociation et de leur composition.

On peut y parvenir, au moins dans une première approximation, si l'on considère les phénomènes de pouvoir, non
plus sous l'angle unique d'un « détenteur » de pouvoir, mais
comme des relations entre des individus ou entre des groupes, et à la limite comme des processus mettant en cause,
avec leurs objectifs et leurs règles du jeu, l'organisation ou
le système organisé auxquels participent les différents protagonistes (ou qu'ils ont constitué de fait pour les besoins de
leur relation).

LE POUVOIR COMME RELATION ET COMME PROCESSUS

Quelles que soient ses sources, sa légitimation, ses objectifs et ses méthodes d'exercice, tout phénomène de pouvoir implique une possibilité d'action d'un individu ou d'un groupe sur un ou plusieurs autres individus ou groupes. C'est ce qu'a voulu préciser le politiste américain Robert Dahl quand il a proposé la définition suivante, maintes fois reprise, et dont la principale vertu est la simplicité : « Le pouvoir de A sur B est la capacité de A d'obtenir que B fasse quelque chose qu'il n'aurait pas fait sans l'intervention de A. »

Une telle définition a l'avantage de ne pas préjuger d'une théorie sur l'essence du pouvoir, d'être également applicable à toute forme de pouvoir et de se prêter à d'éventuelles mesures. Mais elle présente, si on veut l'appliquer opérationnellement, trois séries de difficultés.

Tout d'abord, elle ne permet guère de distinguer entre le pouvoir relation intentionnelle et consciente qui implique confrontation de deux parties et une influence involontaire qui peut s'exercer à l'insu de l'une ou de l'autre partie, ou des deux à la fois ; on peut évidemment parler de pouvoir dans les deux cas, mais il est clair que l'on ne parle pas tout à fait de la même chose.

En second lieu, l'éventualité de mesures précises s'avère peu réaliste, car la capacité pour A d'exercer un pouvoir sur B est différente selon l'action demandée, et l'expérience nous montre qu'il n'y a pas d'étalon de mesure ; chaque « relation de pouvoir » est spécifique ; A peut obtenir de B l'action *a* ; mais X, qui ne peut obtenir de B cette action *a*, peut en revanche obtenir de lui l'action *b*, à propos de laquelle A, lui, se trouve tout à fait impuissant.

Enfin et surtout, l'expérience nous montre que la « relation de pouvoir » n'est pas seulement spécifique ; elle est aussi réciproque ; si A peut obtenir que B fasse quelque chose que celui-ci n'aurait pas fait sans son intervention, il est vraisemblable que B, de son côté, a la capacité d'obtenir que A fasse quelque chose que celui-ci non plus n'aurait pas fait sans l'intervention de B.

Ces difficultés n'empêchent pas d'utiliser la définition de Dahl, mais elles en limitent l'application à des comparaisons relativement vagues et qui portent uniquement sur la capacité respective de chaque individu en tant que détenteur de pouvoir. De telles comparaisons permettent de souligner le caractère universel et interchangeable des relations de pouvoir, mais elles ne nous renseignent guère sur leur mécanisme.

Si nous examinons maintenant, non plus le pouvoir, capacité individuelle de A et de B, mais le pouvoir qui se développe dans la relation entre les deux parties A et B, nous découvrons un élément de négociation qui en transforme complètement le sens. Toute relation entre deux parties suppose échange et adaptation de l'une à l'autre. Toute réponse positive de A à une demande de B peut être certes considérée comme la conséquence du pouvoir de B sur A. Mais il est plus simple et plus fructueux de la considérer plutôt comme le résultat d'une négociation. A répond à B parce que B lui a répondu ou parce qu'il croit que B lui répondra. Si les deux parties sont complètement libres et si l'échange est égal, on ne dira pas que l'une ou l'autre est dans une situation de pouvoir vis-à-vis de son partenaire. Mais si les termes de l'échange sont définitivement faussés en faveur de l'une ou de l'autre, et si cette inégalité correspond à la situation respective des deux parties, et non pas à un hasard ou à une erreur d'un des partenaires, on pourra parler de relation de pouvoir. Nous dirions volontiers, en reprenant autrement les termes de Dahl : le pouvoir de A sur B correspond à la capacité de A d'obtenir que dans sa négociation avec B, les termes de l'échange lui soient favorables.

Si l'on admet cette nouvelle formulation, le problème essentiel que pose l'existence du pouvoir n'est plus celui trop difficile et trop incertain de l'action sur autrui, mais celui plus précis et plus limité des conditions qui règlent la négo-

ciation entre des partenaires s'efforçant d'agir l'un sur
l'autre.

A première vue, il peut sembler que c'est tout naturellement la puissance respective des deux parties, le *rapport
des forces* qui déterminera le résultat. Mais si la proposition
en soi n'est pas contestable, elle n'a guère de valeur opérationnelle, car puissance et rapport de forces n'ont de sens
qu'en fonction de l'objet même de la relation ; mieux encore,
il faut que le détenteur de la puissance ait la capacité et la
volonté de l'exercer ; dans une situation où l'usage de la force
ou de la richesse sont interdits ou impossibles, le faible et le
pauvre peuvent l'emporter sur le riche et sur le fort ; le
rapport des forces devient alors le rapport entre les forces
pertinentes et mobilisables.

Même ainsi précisée, l'analyse tourne court, car elle ne
nous renseigne pas sur la nature des forces et la stratégie
des joueurs. Force et puissance, en effet, ne s'accumulent pas
comme les trésors de guerre de l'époque mercantiliste. En
fait, si nous observons les joueurs, la clef de leur comportement, c'est la marge de liberté et d'arbitraire qu'ils peuvent
se réserver. La confrontation des partenaires ne consiste pas,
en effet, dans une mesure des puissances, mais dans un
échange de possibilités d'action. Prenons le cas rare, mais
non aberrant, d'un dirigeant puissant qui se trouve, par suite
des circonstances, limité dans la négociation avec un faible
subordonné à un seul type de comportement auquel il ne
peut se soustraire ; il n'aura rien à échanger et sera en
situation d'infériorité vis-à-vis de ce subordonné qui peut,
en mesurant son zèle, lui causer des difficultés sérieuses. Plus
on est capable, en se servant de sa liberté de comportement,
d'affecter la situation de son partenaire, moins on est vulnérable vis-à-vis de lui et plus on aura de pouvoir sur lui. Le
jeu consiste donc à lutter pour enfermer l'autre dans un
comportement déterminé, tout en restant suffisamment libre
soi-même pour se faire payer le prix de son bon vouloir. Le
rapport des forces, c'est la confrontation des capacités res-
pectives à garder son comportement futur moins prévisible
que celui de son adversaire. Force, richesse, prestige, autorité

légitime n'ont d'influence que dans la mesure où ils donnent à ceux qui les possèdent une liberté d'action plus grande.

Dans le cadre d'une simple relation de négociation, toutefois, les notions de liberté d'action et de prévisibilité du comportement restent vagues. On ne peut réussir à les préciser que si l'on replace la négociation à deux dans son environnement naturel, un ensemble plus ou moins fortement organisé, avec ses objectifs et ses règles du jeu.

Le pouvoir en effet n'existe pas en soi. La relation de pouvoir ne s'établit que si les deux parties s'intègrent au moins temporairement dans un ensemble organisé. Entre deux étrangers réunis par hasard dans un compartiment de chemin de fer, les différences de culture, de force ou de richesse ne peuvent créer de situation de pouvoir. Mais que les circonstances les obligent à effectuer une entreprise commune et l'on pourra découvrir dans la négociation qu'ils devront mener implicitement entre eux le développement d'une relation de pouvoir, en même temps qu'un embryon d'organisation. Les termes de l'échange, les conditions qui règlent la négociation sont liés très profondément à l'organisation, dont ils constituent en quelque sorte l'expression. Pouvoir suppose organisation. Les hommes ne peuvent atteindre leurs buts collectifs que grâce à l'exercice de relations de pouvoir, mais ils ne peuvent en contrepartie exercer du pouvoir les uns sur les autres qu'à travers la poursuite de ces buts collectifs qui conditionne très directement leurs négociations.

Pour bien comprendre les données et la dynamique d'une négociation de pouvoir, il faut donc diriger l'attention sur l'ensemble de l'organisation qui en constitue le cadre. Le pouvoir n'apparaît plus alors seulement comme une relation, mais comme un processus inséparable du processus d'organisation. Les termes de l'échange ne s'établissent ni au hasard, ni selon un rapport de forces abstrait et théorique. Ils sont les résultats d'un jeu dont les contraintes souvent sévères constituent des points de passage obligatoires, des occasions de manipulation pour les protagonistes et tendent à déterminer finalement leur stratégie.

Quelles sont ces contraintes ? Essentiellement les objectifs formels et informels fixés par l'organisation et acceptés par les participants et les règles du jeu qui leur sont imposées ou qu'ils se sont imposées. Ces objectifs et ces règles, il importe de le souligner, n'agissent pas directement. Leur principal rôle est indirect : ils limitent la liberté d'action des joueurs et tendent à distinguer des secteurs où l'action est complètement prévisible et des secteurs où domine l'incertitude.

Dans sa négociation avec l'organisation, *le pouvoir d'un joueur dépend finalement du contrôle qu'il peut exercer sur une source d'incertitude affectant la poursuite des objectifs de l'organisation* et de l'importance de cette source par rapport à toutes les autres sources d'incertitude qui affectent également cette poursuite. Dans sa négociation avec un autre joueur, son pouvoir dépend du contrôle qu'il peut exercer sur une source d'incertitude affectant le comportement de celui-ci dans le cadre des règles du jeu imposées par l'organisation.

On en vient, on le voit, à une analyse de cas d'espèce. Si l'on doit, pour établir le pouvoir d'un individu sur un autre, analyser les sources d'incertitude que chacun d'eux contrôle au sein de l'organisation dont ils font partie, l'importance respective de ces incertitudes par rapport aux objectifs de l'organisation et les limitations que leur imposent à tous les deux les règles du jeu auxquelles ils sont obligés de souscrire pour continuer à jouer, nous sommes entraînés très loin des modèles mécaniques habituels et des théorèmes brillants mais contradictoires sur l'usage du pouvoir. (« Plus on montre son pouvoir et plus on en acquiert » ; « plus on exerce du pouvoir et plus on l'affaiblit ».)

Une méthode aussi institutionnelle toutefois n'interdit ni la mesure des phénomènes, ni la recherche de lois plus générales. Mais en obligeant à les insérer dans une étude structurale, elle rend de tels efforts extrêmement difficiles. Le problème des règles du jeu en particulier constitue un préalable qu'on ne peut facilement lever.

LES DEUX FACES DU POUVOIR

Chaque participant, au sein d'une organisation ou d'un ensemble organisé ou à la limite d'une société, dispose de pouvoir sur le système dont il fait partie et sur les autres membres de ce système, dans la mesure où une situation stratégique favorable, en ce qui concerne les problèmes qui commandent le succès de l'organisation, lui donne des moyens de pression. Mais il se trouve en même temps limité, du fait de l'existence de règles du jeu qui restreignent l'usage qu'il peut faire de ses atouts.

S'il est naturel, toutefois, d'étudier séparément dans une première étape, d'une part, le mécanisme des relations de pouvoir qui résultent des négociations explicites et implicites que les individus mènent entre eux et avec l'organisation, et, d'autre part, les règles du jeu qui contraignent les partenaires à ne pas se servir de leurs atouts au-delà d'une certaine limite, une analyse plus attentive de la réalité conduit naturellement, dans une seconde étape, à considérer les règles du jeu elles-mêmes comme la cristallisation d'autres relations de pouvoir et le résultat de négociations moins explicites généralement, mais tout aussi réelles. Les règles du jeu, en effet, tendent à déterminer des sources d'incertitude artificielles qui permettent à ceux qui les contrôlent de négocier avec ceux que leur situation stratégique favorable mettrait autrement en état de supériorité. Elles ne peuvent se développer et être acceptées en outre que parce qu'une autre source d'incertitude plus profonde que toutes les autres, la possibilité de survie de l'ensemble de l'organisation, s'impose à tous ses membres.

Une telle analyse peut paraître relativement formelle. Mais elle a un intérêt capital, car elle permet de mettre en lumière l'existence de deux aspects fondamentaux contradictoires et pourtant indissolublement liés. D'un côté, en effet, la relation de pouvoir apparaît comme quelque chose d'inavouable et de honteux, c'est tout simplement *le chantage*, et de l'autre le pouvoir est honoré comme l'expression légitime, nécessaire et respectable du contrôle social indispensable au succès de l'effort collectif. Rapprochement abusif, objectera-t-on peut-être, et qui tient essentiellement à l'usage d'une définition arbitrairement extensive. L'objection, toutefois, ne résiste pas à l'examen, car la pyramide officielle du pouvoir ne peut opérer qu'en usant elle-même du chantage, tandis que dans toute négociation informelle fondée sur le chantage, la contrainte sociale, l'intérêt général, la primauté du but collectif, ne peuvent manquer de jouer un certain rôle.

Prenons l'exemple en effet des relations entre supérieurs et subordonnés au sein d'une organisation. Le supérieur a le droit de donner certains ordres à ses subordonnés, et ceux-ci ont le devoir de lui obéir. Cette relation est hautement valorisée et elle reste même colorée, dans le vocabulaire au moins, par une tradition morale ; on parle encore de *devoir* d'obéissance et l'on reste moralement choqué par la résistance d'un subordonné qui ne peut s'expliquer que par la faute morale de l'un ou l'autre des protagonistes. En revanche, si le supérieur se sert de sa situation de prééminence pour obtenir de ses subordonnés quelque chose qui n'est pas prévu dans les règles, on dira qu'il y a un *abus de pouvoir*. Dans la réalité, pourtant, l'un ne va pas sans l'autre. Les subordonnés en effet ont des moyens de pression puissants sur le supérieur, car la réussite de celui-ci dans l'organisation dépend finalement de leur application et de leur bon vouloir. Le supérieur ne peut répondre à ces pressions que s'il se livre à un détournement de pouvoir. Il lui est nécessaire en effet, pour disposer d'une liberté de manœuvre suffisante, de faire peser la menace d'une application stricte des règles et de laisser entendre, en revanche, qu'il tolérera des entorses substantielles en échange d'un comportement de bonne volonté ; s'il se contentait de son pouvoir légitime, il se trouverait soudain complètement désarmé. En contrepartie, l'expert qui se sait indispensable et qui exerce, du fait de sa situation stratégique, un chantage sur l'organisation et sur les autres services, ne peut négocier qu'en utilisant les procédures officielles et qu'en déclarant souscrire aux objectifs communs de l'organisation. Il ne peut réussir à manipuler l'organisation que s'il se laisse manipuler par elle. Dans les deux cas, face honteuse et face noble seront inextricablement liées. Le chantage sera utilisé à des fins nobles et le pouvoir noble servira de paravent à une opération de chantage.

Les termes que nous avons employés sont des termes moraux. Nous l'avons fait sciemment, car le sens commun et l'analyse sociologique sont d'accord sur ce point, il s'agit bien d'un jugement moral : le pouvoir est bon et noble s'il correspond au pacte social officiellement accepté, il est répréhensible et immoral s'il consiste à utiliser les avantages de la situation pour manipuler autrui en dehors du pacte reconnu. Mais de tels jugements moraux, la pratique le montre bien, sont contradictoires, car le pouvoir — face noble — a sa source dans une négociation douteuse et ne peut manquer de recourir au chantage pour s'exercer. L'ordre des choses établi n'est que la sanction de rapports antérieurs, où le chantage a pesé pleinement. De quel droit condamner le chantage présent, au nom des résultats du chantage passé ? D'autre part, le chantage est impossible à éliminer, car il est lié à la nécessité d'adaptation et aux possibilités d'innovation ; réduite à son pouvoir formel, au pacte théorique qui la constitue, toute organisation, toute entreprise humaine est incapable de s'adapter à son environnement.

Il semble donc, tout compte fait, que, comme il est fréquent en pareille matière, la violence du jugement est d'autant plus grande que la distinction du bien et du mal est plus douteuse. Et c'est là peut-être une des raisons de l'ambiguïté profonde de la notion de pouvoir et de la gêne qu'ont éprouvée les sociologues à s'en servir d'une façon positive.

La critique du moralisme traditionnel serait toutefois de peu d'intérêt si elle ne servait à faire apparaître la fonction jouée par ce moralisme et ses possibles transformations.

La valorisation du pouvoir entendu au sens noble tient, à notre avis, à l'extrême difficulté qu'éprouve toute entreprise humaine collective à s'assurer l'adhésion et la conformité des participants. Pour que puisse s'imposer, face à tous les chantages individuels, la primauté du but collectif, il faut que ceux-ci soient considérés comme moralement répréhensibles et que soit exalté en contrepartie le pouvoir hiérarchique officiel, gardien de ce but collectif. La négociation est niée au profit de la morale tant que cette négociation risque de mettre en cause l'ensemble organisé jugé indispensable par une majorité des participants. A travers la discussion morale, s'exercent pressions et contre-pressions ; on parle de juste salaire et de nécessaires prérogatives du chef. C'est seulement petit à petit, à mesure que l'homme comprend et accepte plus facilement les disciplines nécessaires de l'action collective, que la réalité des rapports humains peut apparaître sans dommage au grand jour. Toute l'évolution de la pratique des organisations au cours des cent dernières années a consisté à passer du règne de la morale au règne de la négociation.

Et si l'on peut extrapoler de l'expérience des organisations au fonctionnement d'ensembles plus vastes et moins structurés, on soutiendra que cette prise de conscience progressive constitue pour les sociétés une nouvelle sorte de passage à l'état adulte comparable à ceux accomplis antérieurement en ce qui concerne par exemple l'anthropocentrisme ou l'ethnocentrisme.

L'exemple de cette évolution qui paraît le plus clair et le plus facile à admettre du fait de son ancienneté, c'est naturellement la reconnaissance du droit de grève ; ce qui n'était qu'abominable chantage est devenu petit à petit pouvoir légitime de négociation. L'évolution est loin d'être achevée, mais on peut dès maintenant discerner vers quoi elle mène.

La reconnaissance progressive de la réalité et de la légitimité de l'utilisation par chaque participant de ses atouts dans le jeu collectif est l'expression et le signe de la maturité plus grande des individus et de leur capacité d'adaptation aux exigences de l'activité organisée. Mais en même temps, une telle reconnaissance transforme complètement les conditions du jeu. Ce qui ne pouvait se révéler jusqu'alors qu'à travers des blocages contradictoires et paralysants des appareils, des hiérarchies et des interdits religieux et sociaux, peut désormais se régler plus rapidement et plus efficacement. Le pouvoir hiérarchique peut renoncer en partie à la contrainte et dépouiller ses embarrassants attributs moraux pour acquérir une souplesse et une efficacité plus grandes dans un rôle moins prestigieux d'animateur et de facilitateur.

Une telle évolution est toute différente de celle qu'appelle la revendication anarchiste ou révolutionnaire du dépérissement du pouvoir. La généralisation de la négociation ouverte ne signifie pas l'élimination, mais bien au contraire l'acceptation raisonnée de tous les pouvoirs de fait. Elle tend à réintégrer dans le champ des rapports humains légitimes tout ce qui était jusqu'alors pratique honteuse. Il peut paraître paradoxal de considérer cet ébranlement de la traditionnelle dichotomie entre le monde officiel et rigide de la hiérarchie apparente et le monde obscur des tractations secrètes comme un progrès considérable. Mais ce changement de perspective permet effectivement d'assainir le jeu des rapports humains de la même façon que la réhabilitation par la psychanalyse des impulsions étouffées de l'homme a contribué à le rendre plus libre et plus responsable. En même temps, les pratiques honteuses se moralisent, dans la mesure même où le pouvoir légitime perd son auréole de noblesse et la reconnaissance par une société de toutes les pressions qui expriment le jeu naturel de ses membres lui permet de les faire plus aisément participer à ses buts. Le changement, en conséquence, devient plus facile et la volonté d'innovation est stimulée.

LE POUVOIR AU SEIN DE L'ENSEMBLE SOCIAL

Ces quelques remarques sur le pouvoir comme processus, condition et expression de toute activité organisée, ne nous permettent pas bien sûr de conclure sur les modes de gouvernement d'un ensemble social. Mais elles nous éclairent tout de même sur quelques points très importants de l'évolution des rapports de pouvoir dans les sociétés industrielles et post-industrielles modernes.

Les problèmes de pouvoir au sein de la société globale ne sont pas aussi simples qu'au sein d'une organisation. Nous pouvons avoir affaire à des rapports au second degré, entre organisations ayant chacune leur rationalité propre beaucoup plus déterminée et affirmée que la rationalité de l'ensemble social, à l'intérieur duquel se place leur négociation. D'autre part, le jeu des individus, le jeu des organisations et le jeu de la société s'entrecroisent. La société peut peser sur les organisations grâce à la pression des individus. Une autre notion enfin que nous avons négligée en matière d'organisation prend une importance décisive, celle d'influence. C'est grâce à ce type de pouvoir non conscient, non négocié, que le contrôle social peut s'exercer et que s'imposent, face aux pressions divergentes de tous les intérêts, les règles du jeu qui permettent de maintenir la société comme un ensemble en fonctionnement.

Ces différences et ces oppositions, toutefois, ne transforment pas complètement la situation. Les règles que nous avons posées sur la liaison nécessaire entre toute relation de pouvoir et un embryon de système organisé avec objectifs et règles communes s'appliquent aussi à la société globale. Les négociations qui se développent en son sein ne sont pas libres et ne correspondent pas à une application mécanique du rapport des forces. Ou plutôt, le rapport des forces dépend essentiellement des contraintes qui pèsent sur elles et qui traduisent la dépendance relative dans laquelle les parties se trouvent par rapport à la société globale. Comme à l'intérieur d'une organisation, chaque partie cherchera à manipuler la relation en utilisant la maîtrise qu'elle peut avoir des sources d'incertitude affectant le comportement de l'autre, tout en respectant objectifs et règles du jeu communs. La différence la plus importante, c'est que le pouvoir de contrepartie, le contrôle social qui gouverne l'ensemble, reste peu formel, peu contraignant et doit user bien davantage de moyens indirects. Mais il est tout de même également l'objet d'une grande valorisation morale, et s'il ne peut se prévaloir régulièrement de la nécessité de survie de l'ensemble qu'il anime, il arrive que dans des cas limites, comme celui d'une guerre, il puisse y faire appel.

Ces correspondances prennent un poids beaucoup plus considérable dans le monde moderne, du fait d'un double mouvement qui rapproche de plus en plus les organisations et la société globale. D'une part, en effet, l'évolution des organisations vers des formes de rapports humains plus ouvertes et plus tolérantes tend à en faire de véritables « sociétés politiques ». D'autre part, la société globale suscite de plus en plus le développement de sous-systèmes organisés, au sein desquels le contrôle social s'exprime par des décisions de plus en plus conscientes.

Les deux phénomènes convergents peuvent paraître opposés : plus de tolérance d'un côté, plus de rigueur de l'autre. Mais ils expriment plus profondément la même évolution. D'un côté, on s'efforce d'intégrer dans le jeu formel des prises de décision les négociations inavouées qui le doublent et le paralysent. De l'autre, on cherche à substituer au choc contradictoire d'intérêts, incapables de tenir compte des résultats indirects de leur action, des systèmes organisés permettant de prendre des décisions conscientes. L'effort porte sur des domaines différents ; mais, des deux côtés, il s'agit bien de la même démarche — une prise de conscience de la complexité de l'action — et du même objectif : élargir les données du jeu, de telle sorte qu'on puisse tenir compte ouvertement et contradictoirement, à la fois des intérêts et des positions stratégiques qui pèsent sur la situation et de l'intérêt général du milieu en cause.

Dans le cas de la société globale, il ne s'agit pas, il est vrai, d'intégrer un monde occulte dont l'existence jusqu'alors avait été niée, mais de combler le fossé infranchissable qui subsistait entre le monde des intérêts et le monde des décisions formelles ou morales. L'aspect le plus concret de ce changement, toutefois, la reconnaissance du poids des intérêts dans la décision formelle ou morale, la consultation officielle des pouvoirs dont les chantages occultes avaient jusqu'alors été considérés comme immoraux, procède exactement de la même inspiration que nous avons constatée au sein des organisations.

D'un côté comme de l'autre, on assiste à la fois à une prise de conscience plus aiguë des conditions de la participation des êtres humains à l'effort collectif et au développement d'une vision nouvelle plus tolérante des rapports entre les deux faces — morale et immorale, noble et honteuse — du pouvoir. Moralisation, tolérance et rationalisation vont de pair.

Un dernier problème toutefois demeure posé, celui de l'intérêt général. Nous savons bien que l'intérêt général ne peut pas se dégager seulement de la confrontation de tous les intérêts, que la tolérance et la récupération de toutes les pressions inavouables ne sont pas suffisantes pour le faire surgir. Quelque chose de plus est nécessaire, par quoi un ensemble est davantage que la somme de ses éléments. Le pouvoir qui correspond à ce besoin est attaché, au sein d'une organisation, à sa direction qui se sert, pour l'affirmer, de l'incertitude qui pèse sur tous ses membres à propos de la survie de l'organisation et de la poursuite de leur participation à celle-ci. Dans le cas de la société globale, aucun critère de remplacement ne permet de juger clairement de l'intérêt général.

D'où la forte valorisation morale de la politique et la persistance d'une donnée impérative impossible à éliminer. Une politique résulte d'abord du jeu entre, d'une part, les multiples influences qui pèsent sur les individus et le consensus qui s'en dégage et, d'autre part, les pressions de tous les pouvoirs de fait ; mais elle dépend, en second lieu, des choix contingents effectués en plus et au-delà par les leaders occupant les positions stratégiques. C'est dans le dialogue entre ces leaders et l'ensemble des membres de la société à propos de la part d'arbitraire nécessairement laissée aux premiers que l'intérêt général peut passer du plan métaphysique au plan rationnel. Une telle transformation commence tout juste à paraître possible. Mais sa réalisation dépend beaucoup moins des progrès dans la conception ou l'idéologie de l'intérêt général que de l'assainissement du jeu des rapports de pouvoir. On ne peut traiter rationnellement de cette part irréductible de liberté tant qu'on n'aura pas rationalisé et moralisé la part prépondérante de fonctionnement et de contrainte qui conditionne toute action.

CHAPITRE II

DU PROBLÈME DE L'INNOVATION

Pendant très longtemps, on a discuté de l'ordre social et des divers modes possibles de gouvernement des groupes humains sans se préoccuper du problème que pose leur évolution et tout particulièrement l'apparition et le succès de l'innovation.

Certes le thème de l'innovation a été utilisé au XIXᵉ siècle dans la controverse sur le régime économique. Mais il est caractéristique que ce thème ait été lancé comme un moyen de justifier la fonction d'entrepreneur contre les traditionalistes et contre les marxistes et non pas comme un problème autonome.

C'est l'accélération du changement que nous subissons (ou dont nous sommes les bénéficiaires) qui nous impose désormais de considérer ce problème comme un problème pratique et concret, dont la solution peut commander la réussite et la survie dans le monde nouveau de la société post-industrielle.

La réflexion toutefois a été jusqu'à présent surtout le fait des économistes, des statisticiens et éventuellement des psychologues. Elle n'a encore touché que très indirectement les problèmes du système social et du gouvernement des groupes humains. On a encore généralement tendance, par exemple, à séparer radicalement l'étude des lois de développement du progrès technique de l'étude des phénomènes humains qui accompagnent son introduction. Economistes et statisticiens analysent les caractères particuliers de l'investissement scientifique et le rythme de l'innovation technologique tandis que psychologues et sociologues étudient la résistance au changement des individus et des groupes ou les conditions psychologiques de la diffusion d'une découverte.

Mais l'accélération du progrès technique et la violence nouvelle de la concurrence économique, en permettant de mieux comprendre l'ensemble des raisons de succès ou d'échec, tendent désormais à faire apparaître le caractère artificiel de cette séparation.

Les problèmes humains ne se limitent pas à la résistance passive des échelons subalternes ou à la psychologie des seuls entrepreneurs, ils apparaissent à tous les niveaux et expriment les difficultés de l'ensemble du système socio-technique. Avance technique et style de rapports humains sont inextricablement liés. C'est la capacité d'innover de l'ensemble du système qu'il convient d'examiner et cette capacité dépend tout autant de la façon dont ce système se gouverne que de sa capacité financière ou de son état de développement intellectuel.

En fait, ce problème d'innovation que les caractères nouveaux d'une société fondée sur le développement de la science obligent à poser, dépasse de très loin ces problèmes auxquels nous nous étions tout juste habitués : la croissance économique, le « welfare » et la société de consommation. Ce qui commence à entrer en jeu, en effet, c'est la capacité créatrice des individus et de l'ensemble social, capacité que l'on entrevoit d'abord dans le domaine économique mais qui s'exerce tout aussi bien dans d'autres domaines.

Le maintien ou le développement d'une telle capacité ne peuvent être considérés comme un sous-produit ou une condition de l'équilibre ou de la croissance économique. Ils constituent, d'une certaine façon, l'enjeu des rapports humains et de la vie collective et, à ce titre, ils tendent à apparaître de plus en plus comme un des problèmes fondamentaux auxquels doit répondre une société avancée et un des critères essentiels sur lesquels une telle société sera finalement jugée.

Mais comme le concept de pouvoir, le concept d'innovation est un concept difficile devant lequel on a tendance à reculer parce que comme tous les concepts intégrateurs, il est au premier abord confus et contradictoire. Comme le concept de pouvoir, en effet, il ne peut se comprendre que par référence à la fois à la logique instrumentale du calcul économique et à la logique affective des rapports humains, l'une et l'autre logique étant conditionnées par une troisième logique, celle qui découle des propriétés structurelles des ensembles hiérarchisés à l'intérieur desquels elles doivent prendre place.

Les difficultés que pose le problème de l'innovation, toutefois, ne sont pas du même ordre que celles qui ont paralysé la réflexion sur le pouvoir. Elles tiennent avant tout au fait que notre réflexion en la matière a beaucoup de mal à se dégager du raisonnement économique d'abord, ce qui lui interdit de comprendre les dimensions affectives et structurelles du problème, à dépasser ensuite la théorie économique classique qui fait de l'entrepreneur le personnage central sinon unique de l'innovation et en réduit le mécanisme au jeu du marché.

Pour gagner un peu de recul, il n'est donc pas inutile de reprendre en termes sociologiques le raisonnement de l'analyse économique classique.

THÉORIE ET PRATIQUE DE L'INNOVATION
DANS LE SYSTÈME DU MARCHÉ CLASSIQUE

Les postulats de l'entrepreneur et du marché ont été indispensables pour constituer des modèles de raisonnement économique, mais ils ne sont applicables que dans la logique instrumentale du calcul économique. Si on les transpose tels quels au plan sociologique, ils ne permettent pas de comprendre les conditions d'apparition et de succès de l'esprit d'entreprise, le rôle des individus (entrepreneurs et non-entrepreneurs) dans un processus d'innovation et le problème de pratique sociale que pose finalement toute innovation.

Analysons d'abord le problème dans le cas du marché du XIX° siècle au temps où le personnage de l'entrepreneur correspondait encore à une réalité sociologique relativement claire. Même dans ce cas, l'analyse de la pratique sociale montre que le comportement d'innovation de l'entrepreneur n'obéit que très imparfaitement à la rationalité du marché. Inventions inexploitées, maintien de procédés technologiques dépassés, risques commerciaux refusés, les témoignages sont innombrables de la difficulté et de la rareté des comportements d'innovation. Pourquoi ? Manque de motivation des entrepreneurs, certes, mais aussi contraintes des institutions, réactions du système social qui se défend contre le changement. Le problème du rapport de l'entrepreneur à son environnement n'est pas seulement un problème de rationalité économique, c'est aussi un problème sociologique. Le comportement de l'entrepreneur se trouve déterminé par sa place dans le système social, par les règles du jeu du milieu ou du sous-système dont il fait partie et par les valeurs qui expriment ces appartenances.

Pourquoi, comment, par quels mécanismes, ces valeurs et ces règles du jeu paralysent-elles ou favorisent-elles l'innovation ?

Examinons le rôle de l'homme qu'on appelle entrepreneur. Il est avant tout en fait un maître d'œuvre indispensable pour la production de certains biens. De cette fonction difficile à assumer, il tire profit et éventuellement prestige. Ce bénéfice est un bénéfice individuel qui dépend du marché, mais c'est aussi une reconnaissance collective qui correspond à l'influence qu'exercent les membres du même groupe d'entrepreneurs ayant accaparé la même fonction. Cette influence est un phénomène traditionnel que le groupe cherche naturellement à protéger. D'où une solidarité profonde qui unit ses membres nonobstant la concurrence. Il s'agit de maintenir les standards de la profession, d'en restreindre l'entrée, d'empêcher que son exercice devienne facile ou même soit simplement connu. Ces réactions naturelles ne sont pas forcément incompatibles avec des innovations. Mais, à première vue au moins, l'innovation tend à mettre en danger le jeu du groupe contre la société. Elle menace en tout cas sa hiérarchie interne, son bon équilibre, c'est-à-dire certains de ses moyens d'action. Les systèmes de castes et de corporations consacraient légalement ces besoins et exigences des groupes. Le marché et la libre entreprise du xix° siècle leur ont enlevé toute sanction légale, mais ils n'ont pas pour autant supprimé les tendances traditionnelles qui s'expriment par les moyens les plus divers : opinion publique, législation restrictive, intervention de l'Etat, pressions ouvrières, système bancaire, système de transport, résistance des réseaux commerciaux. Le mécanisme sociologique de l'innovation dans un tel système est caractérisé éventuellement par un divorce entre un idéal rationnel rigoureux et une pratique sociale très restrictive. On pourrait le résumer par une série d'oppositions entre l'individu et le groupe, à l'intérieur des individus et entre les groupes et la société.

Le groupe est toujours et naturellement conservateur et c'est l'individu qui assume la charge de l'innovation. Il l'assume contre le groupe qui cherche à le freiner par tous les moyens, mais essentiellement en dénonçant comme déloyaux ou illégitimes les comportements qui le menacent.

Cette pression du groupe sur l'individu suscite et développe une contradiction interne chez les individus eux-mêmes, non seulement au plan des valeurs (quand s'opposent les valeurs de progrès et les valeurs de conservation et de respect d'autrui), mais aussi au plan du calcul rationnel. L'entrepreneur est en même temps quelqu'un qui cherche l'innovation qui peut lui donner un avantage décisif sur ses concurrents, mais qui craint aussi beaucoup de s'y lancer car il sait que les règles du jeu pénalisent généralement ceux qui s'y lancent les premiers. L'innovateur, d'autre part, s'il souffre des barrières qui lui sont opposées, cherche à les dépasser mais n'essaie pas de les supprimer, car le bénéfice qu'il espère dépend dans ce système du maintien de la barrière. L'innovateur qui a réussi tend à devenir conservateur même pour le développement de sa propre innovation.

Les mêmes antagonismes se reproduisent au plan de la société tout entière, la pression conjuguée des groupes conservateurs tendant à restreindre la pression rationalisatrice de l'ensemble de la société qui s'exerce à travers les institutions juridiques, les institutions d'éducation, etc.

Finalement, les activités les moins prestigieuses, celles qui sont exercées par les groupes les plus marginaux, sont celles où l'innovation est le plus facile. Dans les activités les mieux organisées, dans les groupes les plus traditionnels, la concurrence a tendance à se déplacer sur les aspects les moins dangereux, les plus formels, de la fonction assumée. Il n'est pas vrai que la concurrence conduise nécessairement à l'innovation. Dans le système du mandarinat, la concurrence a beau être parfaite entre les individus, il n'y a aucune chance pour qu'elle conduise à la moindre innovation.

Ces difficultés, ces pressions et ces contradictions entre groupe et individus et à l'intérieur des individus se traduisent dans la pratique par une atmosphère de secret et d'isolement qui rend extrêmement aléatoire toute collaboration entre scientifiques et praticiens, entre inventeurs et fabricants, et, plus généralement, entre les possesseurs des diverses formes d'expertise indispensables à la réalisation de la nouvelle synthèse que constitue chaque innovation.

Quand un secret nouveau peut enfin être mis en application par les rares personnes capables intellectuellement et socialement de l'exploiter, l'innovation survient enfin, mais elle peut rester longtemps encore à l'état de secret et constituer une rente pour ceux qui se la sont appropriée. En revanche, si son exploitation entraîne un déséquilibre trop grand pour la profession, elle déclenchera une crise à travers laquelle l'innovation se généralisera rapidement.

Les situations d'urgence permettant seules d'échapper à la lourdeur de ces processus — ou du moins de les accélérer — on peut s'expliquer le rôle indéniablement positif qu'ont pu jouer entre autres les guerres dans le mécanisme de l'innovation.

L'INNOVATION DANS UN SYSTÈME DE GRANDES ORGANISATIONS

Pour qui continuerait à interpréter le schéma classique de façon étroite, il semblerait évident que le système actuel dominé par de grandes organisations devrait être moins propice à l'innovation que le système du marché du XIXᵉ siècle avec sa masse d'entrepreneurs théoriquement égaux. Le succès des grandes organisations diminue en effet considérablement le nombre des unités capables d'initiative et tend à réglementer et à restreindre, sinon à étouffer, la concurrence.

Or l'expérience des faits montre tout au contraire que le rythme du changement s'est accéléré de façon extraordinaire et que jamais on n'avait encore assisté à une telle explosion d'innovations. On constate d'autre part que si ce ne sont pas forcément les très grandes organisations qui sont à la source des innovations les plus spectaculaires, c'est dans les sociétés (et à l'intérieur de ces sociétés dans les branches d'activité) dans lesquelles les grandes organisations dominent que les progrès sont les plus rapides.

Le système de la grande organisation n'est donc pas, comme on l'a cru longtemps, défavorable au changement et à l'innovation. Pourquoi ? C'est que les mécanismes sociologiques dont nous avons essayé d'analyser l'influence dans le cas du marché classique peuvent être transformés dans un sens favorable par le passage à un système de grandes organisations. L'innovation, en effet, n'est pas seulement un phénomène individuel déterminé par une rationalité économique stricte, c'est un système collectif dont la réussite dépend aussi des facteurs humains, et sur ce terrain, la grande organisation peut être éventuellement supérieure à la masse des petits producteurs.

Reprenons le problème dans une perspective pratique. L'aspect collectif de l'innovation se manifeste aussi bien en amont qu'en aval de la décision même d'innover. En amont, il s'agit de combiner toutes les ressources nécessaires à la nouvelle synthèse que sera le nouveau produit, le nouveau procédé, le nouveau système technique ; or ces ressources sont toujours connues et exploitées par des hommes ou des groupes différents et, pour les obtenir, il faut négocier ou coopérer, ou plutôt en fait négocier et coopérer, ce qui pose un problème de relations humaines dont nous avons vu qu'il était très mal résolu dans le système du marché. En aval, il s'agit naturellement des conséquences humaines que va entraîner l'innovation. Les difficultés ainsi créées ne sont souvent considérées qu'après coup. Mais la crainte plus ou moins consciente qu'on en a ne manque pas de peser sur les décisions à prendre, ne serait-ce que parce qu'elles rendent plus difficile la mobilisation des ressources nécessaires à la décision.

Pour faire face à ces problèmes, le raisonnement économique classique ne voyait et bien souvent ne voit encore qu'un individu, l'entrepreneur. Cette simplification ne permet pas de comprendre les conditions réelles du succès de l'entreprise. Si c'est un individu qui agit dans le climat de secret et de résistance d'une société traditionnelle, la concurrence ne jouera que très partiellement dans le bon sens. Une organisation, en revanche, si elle est souple, peut rassembler en son sein un plus grand nombre de concours efficaces offrant des possibilités de synthèse assez larges et, en outre, des informations et des contacts beaucoup plus considérables. Elle peut enfin prévoir et maîtriser plus facilement au moins certaines conséquences. Elle peut donc se trouver en bien meilleure position pour innover que les entrepreneurs individuels qu'elle remplace.

Mais, rétorquera-t-on, les grandes organisations ne tendent-elles pas naturellement à la lourdeur bureaucratique qui étouffe toute possibilité de créativité chez ses membres ?

Je ne crois pas personnellement au caractère fatal de ce risque, mais la grande organisation effectivement ne peut rester innovatrice qu'à certaines conditions qui tiennent à ses principes de fonctionnement ou de gouvernement. Et le principal problème des sociétés avancées en matière d'innovation nous semble tout compte fait de développer conjointement le système de grandes organisations et les modes de gouvernement ou de relations humaines « démocratiques » qui permettent de maintenir la créativité des individus dans la voie de l'*innovation collective* indispensable aux sociétés post-industrielles.

La condition première et essentielle en est le maintien et le développement de la liberté d'initiative individuelle. Cette liberté est théoriquement illimitée dans le cas de l'entrepreneur classique, mais elle est en fait paralysée par la nécessaire appartenance de celui-ci aux divers groupes profondément conservateurs qui lui assurent l'indispensable protection psychologique, morale et sociale, et auxquels il doit s'opposer quand il veut innover.

La réussite des grandes organisations, c'est de substituer à cette opposition paralysante individu-groupe, à certains échelons au moins, une participation moins difficile.

Pour que ce soit possible, il faut que les individus qui font partie de ces groupes puissent se sentir complètement libres vis-à-vis de l'organisation, capables de la quitter du jour au lendemain sans en souffrir le moins du monde. Cette exigence peut paraître incompatible avec le fonctionnement d'une organisation complexe et pourtant c'est ce qui semble bien se produire dans les branches d'activité les plus dynamiques des sociétés occidentales les plus avancées. Le taux de rotation du personnel dirigeant et de tous les ingénieurs et organisateurs jouant un rôle d'innovation y est excessivement élevé sans que la capacité de développement et la prospérité même des organisations qu'ils animent en soit atteinte.

On voit très bien les avantages du point de vue de l'innovation. Les hommes-clefs de toute possible innovation ne sont plus paralysés par la crainte de ne pas bénéficier dans leur carrière de l'apport personnel qu'ils font ; ils tendent à perdre en même temps l'envie, paralysante pour leurs collègues, d'accaparer à leur usage exclusif tous les profits possibles d'une invention. L'organisation bénéficie par ailleurs des contacts étroits qu'ils ont suffisamment de liberté pour garder avec le monde scientifique et le monde de la recherche. Les échanges sont possibles qui n'élargissent pas seulement l'horizon intellectuel, mais rendent aussi les individus plus coopératifs et mobilisent des ressources inemployées.

Mais une organisation peut-elle maintenir dans ces conditions sa cohésion et son efficacité ?

Le problème est certainement extrêmement difficile et de très grandes différences existent par exemple entre les diverses sociétés occidentales sur ce point [1], qui tiennent aussi bien à des facteurs culturels qu'au degré de développement technique et économique. Pour le résoudre, il faut que des modèles de rapports humains nouveaux se développent qui permettent de concilier une très grande liberté individuelle avec la participation à une entreprise collective strictement gérée. Ces modèles sont effectivement en train de se développer et il n'y a aucune raison de penser qu'un tel apprentissage ne puisse se généraliser. Les voies de sa réussite toutefois peuvent être diverses.

Dans le monde occidental, elles restent, il importe de le remarquer, profondément déterminées par le modèle classique de la concurrence que nous retrouvons tout aussi affirmé malgré la différence de contexte.

Ce modèle opère désormais sur deux plans différents, en apparence contradictoires. D'une part, en effet, la concurrence entre firmes apparaît indispensable pour permettre à l'organisation qui assume pleinement un risque sévèrement sanctionné, de disposer d'un pouvoir de pression très fort sur les individus qui ont accepté d'en être membres. D'autre part, cette même concurrence permet aux individus de disposer eux aussi d'un pouvoir de pression très fort sur l'organisation dans la mesure où ils peuvent offrir très facilement leurs services à une autre organisation sans que ce geste puisse être considéré comme une déloyauté.

Ces pouvoirs accrus de chacune des parties, contrairement

---

1. Sans parler naturellement des sociétés socialistes.

à ce que l'on croyait autrefois, sont tout à fait compatibles ; ils obligent à des négociations plus difficiles, mais aussi plus ouvertes et plus fructueuses. L'acceptation réciproque par chaque partie du pouvoir de l'autre partie constitue l'indispensable préréquisit de l'apprentissage d'un nouveau modèle institutionnel.

LES PROBLÈMES INSTITUTIONNELS POSÉS PAR L'INNOVATION
DANS LE MONDE POST-INDUSTRIEL

Le premier problème que pose l'innovation dans le monde post-industriel concerne le fonctionnement interne des organisations.

L'innovation en effet doit être d'abord assumée dans des organisations. Or la capacité d'innovation d'une organisation moderne, nous avons essayé de le montrer, dépend avant tout de l'existence de règles du jeu qui tendent à récompenser les activités coopératives, constructives et innovatrices au lieu de favoriser les conduites d'équilibre, d'harmonie et de conservation. De telles règles du jeu sont l'expression du système de gouvernement que les structures réelles du pouvoir engendrent au sein de l'organisation.

C'est dire qu'aucune mesure de démocratie formelle, aucune obligation légale de participation ne peuvent promouvoir le développement d'un climat favorable à l'innovation qui ne peut dépendre que d'une transformation profonde du jeu du pouvoir au sein de l'ensemble concerné.

Une telle transformation dépend pour une bonne part de facteurs socio-culturels : degré de tolérance des individus au conflit, type de comportement vis-à-vis des rôles d'autorité, capacité de coopération. Les organisations tendent, il est vrai, à changer, dans la mesure où, les facteurs techniques s'y prêtant, le progrès de nos conceptions en matière d'organisation permet de prendre de plus grands risques (en remplaçant par exemple la contrainte par la prévision) et dans la mesure aussi où les règles du jeu du système économico-social global poussent les dirigeants innovateurs à prendre eux-mêmes des risques dans des expériences nouvelles.

L'évolution dans ce sens n'est pas du tout automatique, il est vrai. Deux types de déviation se reproduisent constamment. L'un qui pousse les responsables à centraliser toutes les décisions, pour aboutir à un modèle de fonctionnement interne plus étroitement rationnel et qui restreint naturellement la capacité du système dont ils ont la charge d'expérimenter et d'innover. L'autre qui les pousse à céder à la pression des groupes subordonnés qui revendiquent de façon opposée, mais complémentaire, des garanties formelles, lesquelles ont pour conséquence de bloquer le système dans une démocratie à l'ancienneté tout aussi incapable d'innover.

Ces deux déviations procèdent du même désir d'éliminer la concurrence entre individus et entre groupes à l'intérieur de l'organisation. Mais ni la solution centralisatrice autocratique ni la solution pseudo-démocratique ne peuvent y parvenir en fait. Elles ne font que l'orienter sur des terrains moins favorables pour l'innovation. Le progrès consiste à reconnaître à la fois que la concurrence ne peut absolument pas être écartée, mais qu'il est possible de la canaliser de telle sorte que les jugements ou choix qui sanctionnent les actes des participants portent essentiellement sur des problèmes d'efficacité et puissent récompenser l'innovation.

On assiste actuellement dans le monde occidental à des progrès difficiles, souvent contrariés, mais constants dans cette direction. Le frein le plus considérable est toujours le besoin de sécurité de tous ceux qui sont affectés par le jeu auquel ils participent. De ce point de vue, une vision trop catégorique des possibilités humaines en la matière est dangereuse et les progrès ne peuvent être qu'assez lents. Car un minimum de structure rigide est absolument indispensable pour protéger les individus contre les conséquences de leurs erreurs et de leurs insuffisances. Un jeu trop clair et trop brutal serait en fait impossible à supporter.

Le second problème que pose l'innovation concerne les activités non économiques. Ces activités prennent de plus en plus d'importance à mesure qu'il devient plus difficile de maîtriser les conséquences humaines et sociales de l'accélération du changement et que progressivement, de ce fait, on réalise que c'est sur ce terrain pourtant très éloigné des activités productives classiques que se joue et se gagne la bataille du développement.

Certaines de ces activités sont en partie traitées au sein des organisations économiques elles-mêmes. C'est une des supériorités des grandes organisations modernes que de pouvoir anticiper ainsi sur les conséquences possibles de leurs décisions. Leur capacité d'innovation s'accroît dans la mesure même où elles sont capables de mieux maîtriser les effets défavorables qu'on peut attendre de leurs progrès.

Mais certains problèmes seulement peuvent être réglés dans le cadre des organisations qui prennent la responsabilité de l'innovation et ils ne peuvent l'être souvent que partiellement. Prenons par exemple les problèmes de conversion de la main-d'œuvre. Si la grande organisation peut prévoir les changements de qualification et les transferts d'emploi qu'imposera l'adoption d'une innovation, et, les ayant prévus, les organiser de façon à en minimiser le coût et à préparer le personnel à y faire face, elle ne peut pas en revanche maîtriser les conséquences plus générales sur le marché de l'emploi et dans la hiérarchie des qualifications, sur l'équilibre social et géographique des communautés locales, et elle ne peut pas davantage surmonter les résistances et les oppositions qui tiennent aux rapports de l'individu à la société et aux règles du jeu de l'action sociale dont les individus ont assimilé le modèle à travers leur éducation et leur participation à la vie sociale.

La difficulté est plus grande encore pour les problèmes qui ne peuvent se résoudre sans un véritable bouleversement de secteurs entiers de la société : disparition des activités agricoles — reconversion de métiers, de branches d'industrie, de régions — déplacements de population — développement de la mobilité et du risque — suppression des barrières protégeant les classes dirigeantes, etc.

Les organisations économiques sont naturellement incapables de prendre la responsabilité de tels problèmes. Vouloir la leur donner reviendrait d'ailleurs à les investir d'un pouvoir dangereux pour la société, et pour elles-mêmes. Les obliger en revanche à s'adapter sans nuances aux exigences d'une société qui refuse de changer les paralyserait. L'arrangement le plus fréquent qui consiste à laisser faire et à exiger après coup des pouvoirs publics qu'ils prennent à leur charge les conséquences matérielles les plus insupportables des changements effectués est tout à fait déplorable. Mais pour le dépasser, il faut que la société développe de nouvelles institutions qui répondent à ces problèmes de façon active et par anticipation.

C'est à l'Etat et aux autorités publiques en général qu'il importe naturellement de s'en charger.

Mais l'extension de leur intervention et leur nécessaire rationalisation exige un nouveau style d'action complètement différent du style d'intervention réglementaire ou distributif dont la plupart des Etats modernes sont encore les prisonniers. Il ne s'agit plus seulement en effet d'assurer l'ordre et d'imposer un minimum de justice et de redistribution sociale comme on le faisait avant-hier. Il ne s'agit même plus de maîtriser la conjoncture comme on commence à savoir le faire, il s'agit de faire les investissements collectifs nécessaires pour prévenir et minimiser les crises structurelles prévisibles, pour développer la capacité des groupes et des organisations humaines à maîtriser les conséquences directes et indirectes de leurs progrès. La planification non contraignante inventée en France constitue une première réponse dont la relative inefficacité commence à apparaître maintenant. Son mérite aura été de commencer à poser un problème qu'on cherche désormais à résoudre aussi bien dans les pays de libre entreprise que dans les pays d'inclination dirigiste ou socialiste.

Il s'agit de promouvoir et de mesurer des activités nouvelles de régulation et de concertation qui permettent de maîtriser toutes les conséquences du changement tout en laissant les acteurs économiques et les acteurs sociaux réellement libres. Il s'agit en même temps de maintenir et de développer des mesures de plus en plus strictes de résultats à l'intérieur d'un réseau de plus en plus grand de systèmes complexes.

Un troisième problème se trouve alors posé : celui de l'extension de la rationalité économique à des domaines nouveaux d'activité.

Les fonctions collectives publiques traditionnelles et nouvelles en constituent le premier élément. Mais l'éducation, la recherche, la santé, les services sociaux, l'assistance, l'animation sociale et culturelle en relèvent tout aussi bien même quand elles ne sont pas assurées par une collectivité publique.

Ces activités sont désormais d'un tel prix et d'une telle importance pour le développement de la société qu'elles ne peuvent plus échapper à l'esprit d'analyse scientifique qui a permis le succès des activités de production classique.

On peut s'attendre et on connaît déjà des réactions très vives à cette irrésistible tendance au *désenchantement* d'un nouvel et immense domaine qui continuait à s'accommoder de modes de raisonnement préindustriels [1]. Mais c'est probablement dans ce domaine qu'on rencontrera dans un avenir désormais assez proche le plus grand nombre d'innovateurs révolutionnaires.

L'invasion par le mode de raisonnement caractéristique de la gestion scientifique d'activités jusqu'alors dominées par des principes moraux va être le moteur principal de cette révolution.

En revanche, par un choc en retour tout à fait prévisible, cette extension considérable du modèle rationnel va très

---

1. Ce ne sont pas seulement les services psychiatriques qui ont gardé des principes de fonctionnement d'une rationalité d'Ancien Régime ; ni les écoles, ni les hôpitaux, ni les divers services sociaux ou culturels n'ont dépassé encore un modèle d'organisation traditionnelle en complète contradiction avec les objectifs rationnels qu'ils prétendent poursuivre.

naturellement contribuer à transformer ce modèle même dans les domaines où il a pris naissance :

1. les pratiques de gestion vont se réduire de plus en plus à des opérations abstraites générales et intellectuelles, dépouillées de leur idéologie d'origine, le profit ; leur application pourra être de mieux en mieux formalisée pour s'étendre de façon universelle à tous les types d'activité collective dans toutes les circonstances ;

2. une attention beaucoup plus grande sera accordée aux variables humaines qu'on aura appris à traiter plus rationnellement à travers la gestion d'activités pour lesquelles elles constituent la substance de la performance à accomplir et non pas seulement le moyen de la réaliser.

Parmi ces activités, la plus importante peut-être se révélera vraisemblablement à terme comme le développement et la promotion non pas seulement de la recherche scientifique, mais de milieux d'hommes à idées capables d'assumer le risque de la pensée créatrice dans des domaines nouveaux.

La conscience que l'on a du problème est récente et l'attention s'est concentrée jusqu'à présent surtout sur la recherche dans les sciences exactes. Mais le mouvement qui s'amorce devra bientôt s'étendre. La capacité d'innovation d'une société en effet semble dépendre avant tout de l'extension et de l'efficacité d'un large milieu comprenant non seulement les chercheurs scientifiques, mais tous ceux qui enseignent, traduisent, transmettent, développent et critiquent les découvertes non seulement des sciences de la nature, mais aussi des sciences humaines.

Le besoin de développement que l'on éprouve de plus en plus dans ce domaine va poser des problèmes de gouvernement extrêmement difficiles dans les sociétés les plus avancées qui se trouvent obligées de subventionner des activités aléatoires ne pouvant être soumises directement à la rationalité économique, mais ne pouvant y échapper entièrement sans mettre en cause le système économique au maintien duquel elles sont par ailleurs indispensables. Il est vraisemblable en conséquence que ce secteur va, lui aussi, constituer un des secteurs les plus féconds du point de vue de

l'expérimentation de formes nouvelles de rapports humains
et de systèmes de gouvernement.

LE PROBLÈME DES VALEURS

Faire face au nouvel environnement que va imposer de
plus en plus un monde dominé par le besoin d'innovation
ne manquera pas de créer des conflits de valeurs à l'occasion
particulièrement de tous les changements institutionnels
que nous pouvons commencer d'apercevoir.

Créativité et non-conformisme par exemple vont apparaître comme des valeur fondamentales de la société en
gestation au même titre que la rigueur rationaliste et la
responsabilité sociale. Mieux on comprendra les circonstances qui peuvent contribuer à développer la créativité,
plus devra s'accroître la tolérance des particularités individuelles et plus le conformisme général déclinera.

Cette vision pourrait paraître d'un optimisme fade à ceux
qui se laissent influencer par le délire ambiant qui voit
dans le développement des techniques et de la rationalité
un risque de conformisme étouffant.

En fait, ces craintes, comme ce fut souvent le cas dans
l'histoire, témoignent beaucoup plus d'une angoisse diffuse
devant le changement que d'une réaction raisonnable devant
une menace réelle. Et s'il y a bien crise morale et crise de
civilisation, c'est à front renversé qu'il faut le découvrir.

Croire au développement d'une société plus créatrice et
moins conformiste ne signifie pas du tout en effet croire à
la venue de l'harmonie, tout au contraire.

Créativité et non-conformisme ne sont pas des valeurs
rassurantes. Tant qu'elles étaient révérées comme des
valeurs aristocratiques, accessibles seulement à des hommes supérieurs et comme des exceptions destinées à enno-
blir sans la troubler la routine quotidienne dominée par les
valeurs bourgeoises les plus étroites, elles n'étaient guère

dangereuses. Mais s'il faut les admettre pour toutes formes d'activités pour un nombre de plus en plus grand de personnes et dans une perspective et un contexte de plus en plus rationnel, elles deviennent extrêmement difficiles à supporter.

Les hommes en effet ont beaucoup de mal à accepter de faire face sans échappatoire possible à la mesure des performances qui les engagent le plus. Etre complètement responsable de son propre succès qui témoigne de votre « créativité » et non de votre astuce et de vos relations peut soulever plus de problèmes que le conformisme dont nous nous plaignons et ce mélange si répandu d'agressivité et de récrimination qui caractérise le rôle de sous-fifre malchanceux dans lequel tant de nos contemporains se complaisent.

Pour toutes ces raisons, on peut penser que des tensions de plus en plus fortes risquent de se développer au sein des sociétés post-industrielles. La crise morale que nous vivons n'en est que le prodrome et on peut se demander si la vague nouvelle de valeurs hédonistiques qui submerge le monde occidental ne constitue pas, tout compte fait, la contrepartie naturelle et la compensation indispensable de cette civilisation plus vivante, plus créatrice, mais plus dure aussi que nous sommes en train de créer.

CHAPITRE III

DU PROBLÈME PARTICULIER POSÉ PAR L'INTRODUCTION DE L'INFORMATIQUE DANS LES ENTREPRISES

Aucune innovation ne semble avoir frappé davantage l'imagination populaire, ces dernières années, que l'introduction des ordinateurs dans la marche des entreprises et des administrations.

Les ordinateurs représentent l'avenir. Ils sont au centre de tous les rêves futuristes sur les sociétés de demain. Et l'avenir qu'ils nous annoncent envahit déjà le présent, puisque tout le monde s'applique ou expérimente déjà pour mieux se placer dans la voie de cette modernité.

Mieux encore, les ordinateurs touchent directement au problème de la communication, qui est peut-être le problème central des rapports humains. Leur arrivée risque donc d'ajouter une dimension nouvelle à notre vie sociale.

L'expérience que nous avons déjà des problèmes que pose à l'ensemble social l'introduction d'une technique aussi révolutionnaire dans ses modes de raisonnement et dans ses possibles conséquences est donc particulièrement pleine d'enseignement pour notre propos.

Or cette expérience démontre amplement, me semble-t-il, l'insuffisance criante des analyses étroitement techniques dont on n'arrive pas à se dégager, l'insuffisance d'une analyse purement instrumentale du développement technique et la nécessité absolue où l'on se trouve désormais, pour comprendre mais aussi pour réussir le changement, de raisonner aussi bien sur le plan des rapports humains et de la structure du pouvoir que sur le plan de la rationalité technique.

La machine a beau posséder d'extraordinaires capacités de collecte, d'édition, de mémorisation, de raisonnement logique et arithmétique qui en font le meilleur outil de gestion qu'ait jamais eu entre les mains un être humain, le succès du système que l'on doit mettre en place pour assurer une gestion plus rationnelle de l'entreprise dans laquelle on veut l'introduire dépend essentiellement des capacités de coopération des groupes humains réels qui auront à s'en servir.

Si l'on veut se contenter de l'approche purement technique sans se préoccuper des problèmes que vont poser les hommes, sauf du point de vue de leur formation intellectuelle, non seulement on risque d'éveiller des craintes inutiles et de susciter des résistances aveugles, mais aussi on a beaucoup de chance, malgré l'utilitarisme auquel on a voulu se cantonner, ou plutôt à cause de lui, de rencontrer un échec, au sens le plus pratique et le plus financier du terme.

A vrai dire, le problème n'est pas nouveau. L'affrontement entre l'ingénieur et l'humaniste ne date pas d'aujourd'hui. Dans le passé déjà, les grands changements techniques n'ont réussi que dans la mesure où les hommes ont trouvé les moyens, non pas de s'adapter au modèle rationnel des ingénieurs, mais d'élaborer un système nouveau de rapports humains leur permettant de tirer parti des potentialités de la technique et d'orienter son développement. Mais les rapports entre le technique et l'humain se déroulaient dans un cycle de temps assez long et pouvaient demeurer obscurs. Le nouvel ordre humain, la nouvelle capacité collective se créaient lentement à travers une série d'essais et d'erreurs, d'actions et de réactions passablement aveugles.

Mais il ne peut plus en aller de même avec l'informatique, d'abord pour toutes les raisons que nous avons examinées au chapitre précédent, mais aussi parce que l'informatique bouleverse directement les rapports humains, dans la mesure où son domaine n'est plus la matière, mais un phénomène humain essentiel, *la communication.*

Le problème de l'introduction de l'informatique est donc

exemplaire, parce qu'il préfigure, dans une certaine mesure, le mode de changement et le mode de raisonnement sur le changement qui devra caractériser le monde de demain.

L'INFORMATION N'EST PAS NEUTRE

Quand les techniciens élaborent un système d'information intégré pour une entreprise, ils sont obligés de partir du principe que l'information est complètement neutre, c'est-à-dire qu'elle peut s'échanger à tous niveaux entre toutes personnes, sans autre coût que celui du temps.

Mais dans une entreprise, comme dans toute organisation ou dans tout système de rapports humains, l'information n'est pas neutre. *L'information, c'est du pouvoir, et parfois, pour un bref moment, l'instrument essentiel du pouvoir.* Personne ne communique de l'information sans prendre garde intuitivement au moins aux conséquences qui peuvent en résulter du point de vue de sa situation de pouvoir. La rétention de l'information n'est pas seulement un phénomène affectif, c'est un moyen rationnel de gouvernement (ou de contre-gouvernement).

On ne communique pas parce qu'on a les moyens de communiquer ou parce qu'on dispose de bons instruments de communication. On communique parce qu'on en a envie et on en a envie dans la mesure où cela vous sert. Ce qui explique que dans la même entreprise certaines informations constamment répétées ne passent pas, tandis que d'autres franchissent des barrières qui paraissaient infranchissables.

S'il en est ainsi, l'application du système rationnel des informaticiens au système social réel que constitue une entreprise se heurte à des obstacles beaucoup plus profonds que ceux auxquels on pense généralement. Il ne s'agit pas en effet seulement d'*habitudes* qu'il faudrait changer, ni même d'*intérêts* qui seraient menacés par les nouvelles techniques, et qu'on pourrait, si on les comprenait, mieux manipuler et à la limite acheter ; il s'agit de tout un ensemble de pratiques et d'arrangements qui constituent en fait *le mode de gouvernement* réel de l'entreprise, ou, si l'on veut, les règles du jeu implicites des rapports entre les hommes, les groupes et les catégories.

Prenons un exemple un peu caricatural, mais parfaitement réel. Une entreprise importante fait appel à des informaticiens pour élaborer un système complexe permettant de commander directement la production à partir des demandes d'une clientèle limitée, mais extrêmement variable. Le problème est capital pour l'entreprise qui doit faire face, en matière de production, à des difficultés qu'elle ne surmonte qu'en augmentant dangereusement ses coûts ou en perdant provisoirement au moins des clients.

Le problème est techniquement difficile, mais soluble. Les informaticiens mettent au point un système qu'on expérimente quelque temps dans la plus petite des unités de production de l'entreprise et qui paraît pouvoir donner satisfaction. Mais quand on l'introduit dans l'unité de production-clef, l'échec est complet et le système doit être entièrement abandonné, à cause d'un problème auquel personne n'avait pensé.

Les informations sur les temps de fabrication des pièces dont on a besoin pour l'ordonnancement de la production dans l'usine sont les mêmes informations qui sont utilisées pour la paie des ouvriers. Or, ces informations sont systématiquement faussées par suite d'un accord implicite entre la direction de l'usine, les contremaîtres et les ouvriers. L'usine applique officiellement le barème de l'accord régional de branche, mais elle est capable de payer davantage et les ouvriers sont en position de force pour exiger davantage. La solution de facilité qu'on a trouvée, c'est de tricher sur les temps.

Mais, me dira-t-on, pourquoi, si tout le monde est d'accord, ne pas reconnaître la réalité et ajuster les normes pour les faire correspondre aux travaux et aux rémunérations réelles ? Certes, la solution serait extrêmement simple, mais, dans cette usine au moins, elle est impossible, parce que les parties en cause préfèrent s'arranger dans l'obscurité, plutôt que de reconnaître la réalité de leurs rapports mutuels. Elles se gardent ainsi une marge de négociation et la possibilité de quantité de sous-arrangements particuliers plus ou moins secrets, et, de ce fait, fort utiles pour mettre de l'huile dans des rouages grinçants.

Une telle situation est probablement rare à ce niveau, mais dans les rapports entre les divers postes et fonctions impliqués dans des relations entre usines, directions et services, on voit constamment à l'œuvre des mécanismes semblables.

La standardisation des informations nécessaire pour que la précision et la rigueur indispensables soient obtenues met en évidence certains résultats de l'activité de chaque partie, et surtout met en cause les sources de son pouvoir. Si chacun se bat pour maintenir le fichier propre de son service et de sa direction, ce n'est pas seulement par routine, c'est que son pouvoir et, au second degré, sa capacité de bien accomplir sa tâche dépendent d'une certaine marge de liberté que lui donne la possession exclusive ou au moins anticipée de certaines informations.

Faudrait-il en conclure que les systèmes intégrés doivent être abandonnés ?

Certainement non. Ce n'est pas parce que le changement est difficile qu'il ne faut pas essayer de changer. Mais les obstacles doivent être mesurés, et surtout les objectifs doivent être définis de façon beaucoup plus modeste et dans une perspective évolutive. *Le meilleur système n'est pas le plus rationnel, mais celui qui permet de faire évoluer le plus rapidement l'entreprise, ou l'organisation en cause.*

Il est trop facile de s'indigner des pratiques déplorables des services. Ces pratiques, répétons-le, sont un moyen de gouvernement, mais mieux vaut un mauvais moyen que pas de gouvernement du tout. La plupart des entreprises en fait sont encore très loin d'être des organisations rationnelles. Une entreprise est faite de tout un ensemble de féodalités, de réseaux de complicités, de petits secrets et d'arrangements particuliers. Le jeu qu'on y joue est pour une bonne part un jeu de protection mutuelle, que ne troublent que très superficiellement les interventions de directions générales, elles-mêmes beaucoup moins rationnelles qu'on ne le croit.

Certes, les entreprises évoluent. En France, leur découverte du *management* moderne peut constituer le point de départ d'une mutation générale vers un modèle d'organisation plus rationnelle. L'informatique en donne les moyens. Mais le changement ne sera certainement pas la conséquence automatique de l'introduction des ordinateurs.

L'ENTREPRISE EN CHANGEMENT

Pour prendre une vue plus compréhensive et plus concrète de ce changement, il faut examiner les trois grands niveaux hiérarchiques de l'entreprise, car la révolution de l'informatique y a chaque fois une signification bien différente.

Le personnel d'exécution.

C'est au niveau de l'exécution que devait, on l'a cru longtemps, se poser le plus de problèmes. C'est encore à ce niveau que l'on a l'habitude de projeter tous les mythes des robots asservis par la machine. Or, c'est à ce niveau en fait, l'expérience l'a montré, que l'arrivée des ordinateurs rencontre le moins de résistance et pose le moins de problèmes.

La raison en est simple. Les machines électroniques n'ont pas apporté la standardisation car celle-ci existait déjà, elles n'ont pas dépouillé les employés de leurs prérogatives car ils les avaient déjà perdues. S'ils ont réagi à ce nouveau changement par la docilité et par l'apathie, c'est qu'ils avaient pris l'habitude d'investir très peu d'eux-mêmes dans leur vie de travail. Tout se passe en fait comme si les employés avaient souscrit un contrat psychologique tacite qui leur permettrait de dire à la direction : « Vous avez fait de nous des exécutants, nous obéissons donc sans chercher à comprendre le pourquoi des décisions ; mais, en échange, nous exigeons de rester libres, c'est-à-dire de ne pas être engagés psychologiquement dans la marche des opérations. »

Ceci explique à la fois l'absence de résistance et l'absence d'intérêt pour les informations concernant l'ordinateur. C'est pour la même raison que les subordonnés acceptent le changement et refusent de s'y intéresser.

Paradoxalement, plus la campagne d'information réussit à intéresser, plus on s'éveille à la critique et plus il y a de mécontents. Ce n'est pas mauvais signe, tout au contraire, car la rupture du contrat psychologique de docilité et d'apathie permet aux employés de mieux tirer parti des chances de promotion et de qualification qu'offre la machine et à l'entreprise de mobiliser des ressources nouvelles au sein de son personnel.

Mais en général, à ce stade, une direction prend peur, et devant les pressions qui commencent à se manifester, elle aura plutôt tendance à rompre le contact.

Le personnel d'encadrement.

Pour aller plus loin, il est vrai, il faudrait que soit d'abord résolu le problème de l'encadrement, car c'est là que se trouve le point vraiment sensible, aussi bien pour les opérations d'automation administrative classique (comptabilité, paie, statistiques) qui affectent directement des masses d'employés subalternes, que pour toutes les opérations qui touchent plus ou moins directement la gestion.

C'est au niveau en effet de l'encadrement que l'arrivée de l'informatique pourrait constituer une véritable révolution. Les cadres subalternes sont rejetés du côté des employés ; les plus subalternes avaient déjà en fait pour la plupart peu d'influence. Ceux qui sont réellement atteints maintenant sont ceux qui occupent des postes de responsabilité intermédiaires : chefs de service, de division ou de département, directeurs d'agence, correspondants locaux. Car ce sont eux qui, jusqu'à présent, ont servi de relais à la communication et en ont tiré le plus d'influence. Leur poids tenait à la complexité administrative, à leur connaissance des détails de la procédure et des moyens d'y échapper. Dans la mesure où l'on ne pouvait se passer d'eux, ils avaient prestige, importance et même parfois des rémunérations que leur compétence ne justifiait pas toujours. La révolution de l'informatique rend caduque l'expérience routinière de tous ces cadres moyens. C'est à leur niveau que le passage d'un jeu de protection à un jeu de mobilité et de coopération se pose de la façon la plus aiguë.

Les directions ont instinctivement tendance à s'appuyer sur la loyauté et la fidélité de ce personnel, alors que ce sont ces qualités mêmes qui en font les piliers du jeu de protection qui paralyse l'entreprise.

Le personnel de direction.

Le problème saute d'un degré quand on passe à un système plus intégré de gestion qui, cette fois, met directement en cause le comportement du personnel de direction. Les difficultés sont généralement attribuées à la résistance de l'encadrement. Il est vrai que l'encadrement ne peut manquer de résister. Mais la clef du succès doit être recherchée là encore à un échelon plus élevé.

La réussite d'un système intégré, en effet, dépend d'une mutation du personnel de direction qui doit passer d'un rôle de gestion à un rôle de « politique », ce qui implique une spécialisation toute différente et l'établissement de nouveaux rapports humains entre les membres de l' « équipe ».

Cette mutation de rôle doit permettre le changement du mode de gouvernement de l'entreprise. L'informatique en effet apporte des techniques indispensables, mais l'essentiel reste un problème d'organisation, du moins si l'on donne à ce terme une signification très large qui évoque les comportements humains aussi bien que la structure.

Décentralisation, délégation de responsabilités, constitution de centres autonomes de décision libres dans leur gestion, mais sanctionnés en fonction de résultats que l'on commence tout juste à savoir mesurer, sont les moyens de ce changement. Dans les grandes entreprises américaines, ils ont précédé et de longtemps l'introduction de l'informatique, dont ils ont rendu possible le succès rapide.

En fait, on s'aperçoit désormais en France même que c'est dans la mesure où elle abandonne les tâches de gestion directe, qu'une direction générale peut rendre cette gestion plus rationnelle. Son acharnement à les garder constitue un des obstacles les plus difficiles à surmonter pour assurer le succès de l'informatique de gestion.

LA SOCIÉTÉ FRANÇAISE DEVANT LA RÉVOLUTION DE L'INFORMATIQUE

L'informatique ne détermine pas malheureusement ce changement, mais elle donne un tel avantage à ceux qui sont capables de l'assumer qu'elle constitue effectivement un ferment révolutionnaire. Mais, dans cette compétition, la capacité d'innovation institutionnelle est plus importante que les prouesses techniques.

Certes, toutes les sociétés, même les plus modernes, éprouvent de très grandes difficultés à se transformer. Mais la société française éprouve sur ce point des difficultés beaucoup plus profondes, du fait de sa structure, de ses traditions et du style d'action propre qui en résulte.

Nous ne réussirons à effectuer la nouvelle « révolution industrielle » que si nous nous attaquons aussi à ces difficultés. J'en examinerai seulement pour conclure celles qui, pour moi, apparaissent les trois principales :

— le problème de la transparence des communications ;
— le problème de la liberté et du risque individuel ;
— et le problème du changement institutionnel.

Pour que la révolution de l'informatique soit possible, il faut tout d'abord que de façon très générale les individus, les groupes et la société tout entière acceptent une transparence beaucoup plus grande des rapports humains et soient capables de faire face consciemment aux conséquences de leurs décisions et de leurs comportements. Or, la société française est une société qui s'est figée depuis de longues années dans un système de cloisonnement, de secret et d'irresponsabilité qui s'arrange pour glisser dans le flou toutes les décisions difficiles et pour garantir à chacun sa protection générale contre toute sanction, même la simple sanction que constitue la publicité des résultats de son action.

Groupes, catégories, individus mêmes refusent de s'affronter directement. Il faut une zone d'ombre, des complications, l'intervention de l'Etat, pour qu'un problème soit sinon résolu, du moins étouffé.

Il est évident que si ce modèle d'autorité et de cloisonnement subsiste trop longtemps, la société française ratera le tournant de l'informatique. La crise de mai a fait apparaître la profondeur du malaise à ce sujet, mais elle n'a pas réussi le moins du monde à y répondre de façon constructive.

Le second problème, d'ailleurs lié au premier, est celui du risque et de la liberté individuelle.

Nous passons notre temps à nous protéger contre la menace de la standardisation. Mais, en fait, la révolution de l'informatique exige tout au contraire une capacité de liberté individuelle et d'autonomie beaucoup plus grande. Or, c'est contre cette possibilité de liberté même que s'insurgent au fond la majorité des cadres et peut-être aussi la majorité des Français. Ils la refusent parce qu'elle constitue un risque et qu'ils continuent à préférer la protection de la société bloquée.

Le nouveau mythe du travail en équipe, si populaire désormais dans ces milieux, peut être utilisé lui-même comme une nouvelle ligne de résistance du protectionnisme traditionnel. Au nom de l'esprit d'équipe, les différences sont effacées, les responsabilités rendues diffuses et les solidarités féodales traditionnelles renforcées. En fait, les organisations les plus efficaces sont celles où l'individu est tout autant valorisé que l'équipe, celles où la capacité de s'affirmer devant autrui peut devenir complémentaire de sa capacité de coopérer avec lui, celles où les équipes sont faciles à former, à dissoudre ou à reformer.

Mais un dernier problème est peut-être plus immédiatement important, car c'est celui à propos duquel la transformation des idées peut avoir le plus rapidement une influence ; il s'agit de la stratégie du changement.

L'avènement de l'informatique est une des manifestations de l'entrée des sociétés modernes dans une ère de changement permanent. Dans une telle conjoncture, la part de l'inconnu, contrairement aux idées reçues, s'accroît de plus en plus, et il n'est plus possible de travailler avec des modèles *a priori*, dont on suppose qu'ils ont (même provisoirement) valeur définitive.

Ce qui signifie finalement que le raisonnement sur les objectifs a beaucoup moins de sens que le raisonnement sur les institutions ; en d'autres termes, que l'essentiel n'est pas de fixer des objectifs qui seront de toute façon rendus caducs par les progrès que l'on aura entre-temps accomplis, mais de créer des institutions capables d'innover constamment en rectifiant leurs objectifs en fonction des données nouvelles et des résultats déjà atteints.

La capacité institutionnelle, c'est-à-dire la capacité à susciter, créer et recréer des institutions vivantes, c'est-à-dire capables de se transformer, apparaît donc finalement comme la clef dernière du changement.

Il ne s'agit pas, en l'occurrence, seulement des aspects gouvernementaux de cette capacité, le succès des entreprises en dépend tout aussi bien. Cette capacité est faible en France et l'introduction de l'informatique la met à l'épreuve.

En fait, c'est une nouvelle conception de l'action des dirigeants et une nouvelle pratique de leur rôle qui deviennent nécessaires. Il faut que les dirigeants cessent d'être des gestionnaires pour devenir des orienteurs, des animateurs, des accoucheurs de systèmes sociaux nouveaux. Ils doivent se préoccuper beaucoup plus du développement réel des groupes humains qu'ils dirigent que de l'application du modèle rationnel des techniciens.

La révolution de l'informatique n'imposera pas le modèle rationnel de l'entreprise — il n'y a pas de modèle rationnel en soi ; elle permettra seulement à l'entreprise de devenir plus rationnelle, si les hommes qui la composent apprennent à jouer eux-mêmes un jeu plus rationnel, et ils le deviendront d'autant mieux qu'on ne leur imposera pas un modèle « a priori ».

CHAPITRE IV

DU PROBLÈME DE LA PARTICIPATION

Le mythe de la participation a été la dernière tentative originale de réponse de la société française aux pressions du monde moderne. La nécessité de transformer les relations de pouvoir, le besoin de rapports humains et de formes de coopération plus simples et plus efficaces devaient également trouver une solution facile, croyait-on, dans l'application de ce nouveau slogan.

Mais si la décision du général de Gaulle de miser la dernière chance de son magistère sur cette idéologie confuse et déjà passablement usée ne pouvait qu'aboutir à l'échec, il reste que le problème de la participation est effectivement un des problèmes-clef des sociétés post-industrielles. Il constitue en effet, en quelque sorte, l'envers de tous les problèmes de pouvoir, d'innovation ou de développement que nous venons d'examiner.

Si l'on veut faire bouger cette société *bloquée* qu'est devenue la société française, il faut absolument secouer le carcan que fait peser sur elle la passion de commandement, de contrôle et de logique simpliste qui anime les grands commis, les patrons, les techniciens et mandarins divers qui nous gouvernent, tous trop brillants, trop compétents et trop également dépassés par les exigences de développement économique et social à l'encontre desquelles ils prétendent aveuglément maintenir leurs barrières de castes.

Le mythe de la participation a séduit dans la mesure où il réitérait de façon moins choquante et, espérait-on, plus réaliste, la condamnation morale que la révolution du mois de mai avait portée contre ce mode de gouvernement. Ce moralisme était fade et ce réalisme misérablement étriqué, mais derrière cette rêverie comme derrière le mythe de la révolution salvatrice réapparue en mai, il importe de s'attaquer au vrai problème du rôle de l'individu dans un ensemble social de plus en plus complexe, de plus en plus changeant et de plus en plus exigeant.

TROIS ILLUSIONS A DISSIPER

Le malaise qui trouble si profondément notre société ne disparaîtra pas parce qu'on aura offert aux Français une participation mystique à l'essence du pouvoir. Il s'atténuera progressivement quand nous aurons enfin entrepris de transformer nos institutions et nos modes d'action de façon à permettre à tous nos concitoyens de s'occuper raisonnablement de leurs propres affaires, de prendre eux-mêmes leurs propres risques et de faire eux-mêmes les erreurs qui leur permettront de progresser. En d'autres termes, la participation est une affaire trop sérieuse pour être laissée aux idéologues et aux politiques. Et si nous voulons avancer, nous devons d'abord dissiper les mythes.

L'âge d'or pré-industriel.

Le premier de ces mythes est assurément celui de l'âge d'or pré-industriel. Dans le rêve romantique de participation qui prévaut chez beaucoup de nos contemporains, on découvre en effet la nostalgie d'une communauté primitive plus fraternelle dans laquelle l'être humain aurait joui, croit-on, d'un plus grand équilibre et d'une plus grande humanité. Le monde moderne est trop complexe, trop compétitif, trop violent. Il fait de l'homme une machine, ou au moins un être trop rationnel. La participation serait un moyen de retrouver cet enracinement perdu, cette richesse, cette humanité dont le tourbillon de la société de consommation nous aurait dépouillés. Le mouvement de mai a revivifié cette tendance anarchiste aussi généreuse que naïve. Mais c'est une tendance qui n'est pas plus gauchiste que réactionnaire. Les enragés de Nanterre se rencontrent avec MacLuhan, avec certains psychosociologues apôtres de la thérapie de groupe et avec des générations de corporatistes divers pour communier dans le mythe de la fraternité tribale.

Cette vision idyllique d'un âge d'or passé ou à venir, fondé sur le petit groupe, ne peut s'appuyer sur rien de concret. Certes, les membres d'une communauté villageoise sont plus proches les uns des autres que les habitants des HLM. Certes, ils participent à l'orientation de cette communauté dont ils font partie, mais quelles décisions prennent-ils, quelles initiatives sont les leurs ? Ils décident selon la coutume et leurs initiatives sont extraordinairement limitées par la pression de leurs concitoyens. Leur participation est instinctive, sinon inconsciente, elle implique l'absence de différenciation au sein du groupe et s'accompagne d'une très grande contrainte sur l'individu.

Si nous remontons à la communauté tribale primitive pour accuser le trait, nous découvrons que le primitif participe certes, mais qu'il est étouffé par sa participation au point de ne pas avoir de possibilité d'existence personnelle. Coupé de sa communauté, il sera désemparé et ne pourra que très péniblement survivre. Certes, la façon dont les décisions sont prises dans certaines communautés africaines peut assez bien représenter un idéal de participation totale. Aucune décision n'est prise sans de très longues *palabres* au cours desquelles chacun chante son opinion dans le concert jusqu'à ce que l'unisson soit enfin atteint. Mais lequel de nos contestataires accepterait l'extraordinaire contrainte qui accompagne obligatoirement un tel engagement collectif et fait de tout déviant un traître rejeté de la communauté humaine ?

En fait, la nostalgie communautaire exprime simplement une crainte devant les difficultés psychologiques du choix, de la confrontation à autrui, une angoisse devant la liberté et le risque. La petite communauté est un refuge mythique. Mais, s'il faut prendre au sérieux le malaise dont son succès témoigne, elle n'a jamais eu le moindre intérêt comme solution, ou même comme contribution réaliste à la discussion.

La participation affective.

La seconde illusion qui donne naissance au mythe de la participation est celle de la participation affective. Les hommes participent dans la mesure où l'on sait toucher leur affectivité. Ils ont besoin de se dévouer, de se dépasser, de s'enthousiasmer. Il faut trouver le chemin de leur cœur. Dans ce monde rationnel désincarné qui est le nôtre, nous avons un urgent besoin de faire sourdre l'affectivité dont nous sommes sevrés. Le responsable efficace est celui qui sait trouver les mots qui touchent, celui auquel on peut s'identifier, celui qui fait vibrer les âmes.

Personne ne peut nier le besoin qu'ont des citoyens ou des membres d'une organisation quelconque de se donner et de se dépasser, mais on ne peut qu'être effrayé par les dangers que recèle une interprétation trop rapide de cette constatation.

Après tout, l'enthousiasme pour une cause, l'identification à un leader sont les leviers auxquels on a toujours eu recours pour manipuler les masses. Si l'on songe que certaines études sociologiques ont montré que c'est l'état de guerre qui réalise les conditions idéales d'une participation affective, on est en droit de se demander si c'est sur ce type de participation qu'il faut chercher à bâtir une société [1].

---

1. Nous ne parlons ni de fascisme, ni de maoïsme, ni de castrisme, pour ne pas choquer.

La participation affective, en fait, doit être considérée comme une aliénation qui emprisonne aussi bien celui qui s'y abandonne que celui qui la manipule. Elle est une forme fruste, rigide et inefficace du lien collectif. Tout développement de la participation affective constitue un retour en arrière.

Contre cette illusion, on doit affirmer qu'il n'y a pas, dans le monde moderne, de participation acceptable qui ne repose sur un modèle conscient et rationnel. Conscient, car c'est seulement dans la mesure où nous sommes conscients que la participation peut avoir un sens vraiment humain ; rationnel, car c'est seulement dans le monde du rationnel que nous pouvons échapper à la manipulation.

Certes, nous avons besoin aussi d'être ensemble et d'engager notre affectivité, mais pourquoi laisser ce soin à des puissances extérieures à l'individu ? Si la participation aux affaires communes s'équilibre au niveau conscient et dans des rapports rationnels, l'affectivité n'en sera pas éliminée pour autant. Notre demande d'affectivité dans ce domaine est aussi pervertie que celle du patient en situation d'analyse qui refuse d'accepter le principe de réalité.

La participation-cadeau.

Conscience et rationalité toutefois ne suffisent pas à dissiper le mythe. Il reste une dernière illusion, profondément ancrée dans la conscience collective française, et qui consiste à croire, pour les patrons, que la participation aux décisions est un cadeau que les dirigeants feraient aux subordonnés, et, pour les syndicalistes, que le droit à la participation est un droit naturel qui doit être arraché à ceux qui détiennent le pouvoir. Si opposées qu'elles soient, ces deux visions procèdent de la même philosophie et leur application a toujours abouti aux mêmes échecs.

Le patron qui octroie à ses employés le droit à la participation récolte toujours la même ingratitude de la part de ceux à qui il a cru faire un cadeau. Le personnel en général restera apathique ou ne se servira des droits qui lui ont été concédés que pour contrecarrer l'autorité du patron. Quant aux syndicats, leur engagement dans la cogestion ne leur rapporte que sarcasmes et difficultés de la part de mandants plus enclins à critiquer qu'à assumer des responsabilités. Seule la manipulation affective permet aux uns et aux autres de maintenir un climat acceptable et de transformer les échecs en demi-succès.

Pourquoi ? Tout simplement parce que la participation ne peut pas être un cadeau ou un avantage. C'est une charge parfois très lourde. Et il est naturel que des subordonnés auxquels on la propose ne manifestent à son égard qu'un enthousiasme très limité malgré la propagande dont ils sont l'objet.

Cette affirmation a beau être fondée sur de nombreux résultats de travaux sociologiques en France comme à l'étranger, elle surprend. Et pourtant, quoi de plus naturel ? Participer, c'est perdre de sa liberté, c'est perdre la situation favorable du critique confortablement à l'abri, c'est aussi prendre le risque de s'engager émotionnellement, c'est enfin se prêter à la contrainte d'autrui, à la contrainte du groupe ou de l'unité aux décisions desquelles on participe. Plus profondément peut-être, si l'on prend l'exemple d'une organisation, chacun accomplit son rôle à sa manière, avec ses habitudes, ses tours de main, ses pratiques personnelles, qui sont autant de secrets qui lui permettent de remplir son rôle à moindres frais. Ce capital, qui lui assure un minimum de liberté de manœuvre, c'est ce qu'on lui demanderait d'engager dans la participation. Qui le ferait sans espoir de gain ? Qui risquerait un capital sans garanties sérieuses et sans chances de revenus ?

La participation, en fait, n'a de sens pour un subordonné que si on la lui paye en argent, en pouvoir, en chances pour l'avenir, car c'est quelque chose qui lui coûte affectivement et rationnellement.

Si l'on pense que la participation des subordonnés vaut la peine d'un tel investissement car l'organisation qui la tente en tirera de grands bénéfices, alors il faut être prêt à en payer un prix qui sera à la mesure des gains possibles. Mais si l'on pense que les subordonnés n'ont pas grand-chose à offrir et qu'il ne faut les faire participer que pour leur faire plaisir ou parce que c'est la mode, ou parce qu'on pense que cela élèvera le moral, alors ce n'est pas la peine d'essayer, car on peut être sûr à l'avance de l'échec.

LES CONDITIONS D'UNE PARTICIPATION
CONSCIENTE ET RATIONNELLE

Une participation consciente et rationnelle fondée sur l'idée d'une négociation libre et non pas d'un cadeau paternaliste ou d'une lutte politique, suppose des conditions tout à fait différentes des conditions juridiques qui ont été envisagées en France.

En finir avec le raisonnement taylorien.

La première de ces conditions me paraît être une transformation radicale de la conception que l'on se fait de l'action rationnelle. Nous continuons à vivre encore beaucoup trop en France, dans les domaines aussi bien administratifs qu'industriels, selon une conception de la rationalité directement inspirée du principe de Taylor : « Une fois un but fixé, il y a toujours un seul moyen — *one best way* — d'y parvenir. » Ce principe a eu ses mérites, il a permis de substituer l'intervention rationnelle des ingénieurs à la direction intuitive des potentats traditionnels. Mais il est désormais possible de le dépasser. Et ce dépassement est absolument indispensable au développement de la participation.

Si, en effet, il n'y a jamais qu'un seul bon moyen d'atteindre un objectif, une fois que celui-ci a été fixé, pourquoi discuter, pourquoi solliciter l'avis de chacun ? Il suffit de confier au technicien compétent la recherche du ou des moyens.

Mais, m'objectera-t-on, les moyens sont secondaires, et on peut les laisser aux ingénieurs ; l'important, c'est de discuter sur les objectifs. S'il en était ainsi, malheureusement, notre société serait absolument sans espoir, car 99 % de l'humanité seraient condamnés à ne jamais pouvoir influencer le moins du monde la marche des groupes, organisations et unités diverses dont ils font partie. Quatre-vingt-dix-neuf pour cent des êtres humains, en effet, vivent dans un monde de « moyens » dont tous les éléments pourraient être parfaitement déterminés par la technique, si la technique était effectivement régie par le principe du « one best way ».

En réalité, nous savons bien qu'il y a toujours eu discussion au niveau des moyens et que les ingénieurs sont bien obligés d'introduire partout des « tolérances » qui permettent les ajustements nécessaires.

Mais le principe de rationalité auquel on obéit rend la discussion extrêmement difficile. Ce n'est pas de bon cœur que l'ingénieur accepte de remettre en question ce qui devrait être du domaine de la pure technique. Par exemple, dans la définition des postes de travail (outil, rythme, environnement). Mauvaise foi d'un côté, suspicion de l'autre, sont des comportements instinctifs qui rendent impossible toute participation rationnelle.

Croire que la participation à la discussion sur les objectifs peut remédier à ces difficultés, c'est croire aux vertus de la manipulation ou à celles — tout aussi aléatoires et finalement très proches — de la spontanéité créatrice des masses.

L'évolution qui conduit à une rationalisation de plus en plus grande du choix des objectifs va exactement à l'encontre de cette illusion. Pour qu'une participation efficace, ayant un sens pour ceux qui s'y engagent, puisse se développer, il faut qu'elle se place à ces niveaux que l'on considère du domaine des moyens. Dans une entreprise, la définition du mode d'exécution des tâches revêt, de ce point de vue, une importance stratégique.

Or, ceci est possible rationnellement parce que le principe du « one best way » n'est qu'une simplification commode dont l'utilité a depuis longtemps disparu. Plus nous avançons dans la connaisance des paramètres qui définissent un champ d'action, moins nous avons besoin d'être rigides dans nos définitions d'un problème, et plus nous sommes capables d'accepter que les moyens ne doivent pas être séparés des fins et que la vue la plus rationnelle est celle qui compare des ensembles fins-moyens.

C'est ici le cœur des problèmes de la participation. Lorsque par exemple, dans une entreprise, on modifie la tâche d'un ouvrier, de telle sorte que dans sa nouvelle tâche il se trouve isolé des autres ouvriers avec lesquels il travaillait, on ne fait, apparemment, qu'un modeste changement technique. En réalité, tout le climat de l'atelier peut se trouver bouleversé et les résultats obtenus par les ouvriers travaillant isolément, pourraient baisser par rapport aux résultats obtenus précédemment, même si la nouvelle répartition des tâches était, théoriquement, plus rationnelle. Ce qui peut conduire la direction à s'interroger sur les raisons de ce changement et peut-être à modifier toute sa politique dans ce secteur de l'entreprise, afin de concilier le désir d'un travail collectif chez le personnel et le but à atteindre. C'est un ensemble fin-moyen.

Dans cette perspective, que nous révèlent tout d'un coup les nouveaux progrès de la théorie des décisions, un des obstacles les plus graves au développement de la participation, c'est le type de formation donné à nos ingénieurs, c'est le modèle déductif de rationalité étroite dont nous n'arrivons pas, en France particulièrement, à nous détacher.

Accepter la logique de l'organisation moderne.

Le développement des grandes organisations complexes de l'âge moderne paraît généralement extrêmement dangereux. Nous y voyons une menace pour la liberté de l'individu et un obstacle à la participation.

Si les organisations modernes étaient gérées comme celles d'autrefois — et il arrive qu'elles le soient — la concentration des organisations constituerait effectivement un très grand risque.

Mais ce n'est pas le cas. Les techniques d'organisation ont fait de très grands progrès dont on n'a guère perçu, en France au moins, la signification. Ces progrès sont très généralement fondés sur une évolution que l'on pourrait résumer ainsi : plus nos connaissances du comportement humain et de l'ensemble des paramètres qui gouverne une action augmentent, plus nous pouvons passer d'une direction fondée sur la contrainte à une direction fondée sur la prévision.

Toute organisation exige un minimum de conformité de la part de ses membres, conformité sans laquelle deviennent impossible la coordination des efforts et leur intégration dans le modèle complexe qu'impose toute entreprise de production, de commercialisation ou de recherche. Mais la conformité que l'on exige est d'autant plus grande que nos connaissances sont plus faibles. Les premières grandes organisations se sont fondées sur des méthodes de manipulation idéologique ou de contrainte physique qui faisaient de leurs membres de véritables automates. Ce n'est pas dans l'univers électronique, mais dans le XVIII° siècle du « drill » à la prussienne que l'on doit chercher les hommes robots.

Pour que la participation soit possible et efficace, il faut que les progrès déjà accomplis s'accélèrent, il faut que les organisations passent d'un modèle rigide, bureaucratique, contraignant, à un modèle plus souple et plus tolérant, fondé sur la mobilité, la concurrence et la négociation. Il ne faut donc pas lutter pour contenir des organisations trop puissantes, mais combattre pour qu'elles se modernisent réellement.

Prendre le risque de la liberté.

Mais le passage à ce modèle nouveau ne dépend pas seulement du progrès des conceptions de la rationalité et des techniques d'organisation, il est conditionné aussi et surtout par le développement des individus eux-mêmes. La participation n'est possible que dans la mesure où l'homme moderne peut devenir plus exigeant, plus libre et plus capable de supporter les tensions qu'entraîne toute responsabilité collective.

Nous avons pu constater dans plusieurs enquêtes menées dans des organisations publiques aussi bien que privées, que les employés les plus capables de participer, ceux qui étaient les mieux informés, les plus intéressés par la marche de l'entreprise, n'étaient pas du tout les bons employés loyaux et fidèles au sens traditionnel, mais ceux qui paraissaient le moins liés à l'entreprise. La politique traditionnelle des entreprises, qui consiste avant tout à s'attacher leur personnel, est donc un non-sens du point de vue de la participation. La stabilité que l'on obtient ainsi s'achète au prix d'un gaspillage de ressources humaines.

Cette constatation paradoxale peut choquer, mais elle est finalement conforme à l'analyse psychologique la plus simple. On ne peut s'engager efficacement que si l'on est libre. L'homme de l'organisation traditionnelle, enfermé dans ses allégeances et ses fidélités, ne peut prendre le risque qu'implique toute participation. Si toute sa vie est engagée dans l'entreprise, il ne peut pas la compromettre en affirmant une opinion hétérodoxe. Il est donc amené à se limiter et à se protéger ; ces limitations et protections pèsent sur la vie de l'entreprise, qu'elles tendent en fait à paralyser.

Mais la liberté, qui est nécessaire pour la participation, exige une très grande faculté d'adaptation des individus. Et l'on peut se demander si une difficulté essentielle du développement de la participation n'est pas cette tradition de fidélité passive, cette passion de la sécurité, qui jouent un tel rôle par exemple chez les cadres français.

LE SENS DE L'ÉVOLUTION

La société moderne offre des possibilités de développement considérables et le pessimisme facile auquel trop d'intellectuels se complaisent n'est absolument pas justifié par toute analyse comparative honnête.

La part du social a beau devenir croissante, ce qui signifie une augmentation des contraintes, l'homme moderne devient plus libre, plus capable d'engagement conscient. Certes, il s'agit d'une liberté qui cesse d'être sauvegarde contre autrui pour devenir capacité de changer, de jouer, au sein d'une structure sociale de plus en plus complexe. Mais l'individu dispose maintenant d'une faculté de choix supérieure à celle d'autrefois, aussi bien dans les domaines culturel ou politique que dans le domaine de la vie matérielle. Nous sommes de moins en moins limités par notre condition sociale, et les plus humbles d'entre nous jouissent de possibilités de choix qui ne s'offraient pas à eux autrefois.

La lutte pour la participation ne doit donc absolument pas se faire contre le développement de la société post-industrielle, mais en s'appuyant sur les possiblités qu'elle offre. Le pessimisme de ceux qui présentent la société future comme excessivement contraignante, et qui veulent freiner l'évolution actuelle, est non seulement mal fondé mais nuisible. Ni la concentration ni la complexité ne sont un péril. Ce qui est dangereux, c'est de conserver les attitudes de protection et de crainte dans une société qui demande, au contraire, que nous accroissions la liberté de l'individu.

Quant aux risques de manipulation, ils tiennent bien plutôt au maintien des illusions traditionnelles qui nous ramèneraient à l'ordre communautaire ou à la participation affective. Nous avons trop facilement tendance à comparer nos contraintes présentes à celles que subissaient nos pères, sans tenir compte de l'évolution des capacités d'adaptation et de contre-manipulation des êtres humains à travers le temps. A mesure que les contraintes se sont accrues, l'homme a développé les moyens d'y échapper et de sauvegarder sa liberté. Nous devons avoir foi dans les capacités d'invention de l'homme, et, en luttant pour accroître sa liberté, ne pas craindre de marcher vers une société plus complexe.

Mais si l'évolution générale des sociétés post-industrielles doit nous incliner à un optimisme raisonnable, la situation française présente des problèmes très profonds qui expliquent la gravité de la crise qu'elle subit.

Ce n'est pas hasard que le mythe de la participation puisse avoir un tel retentissement en France. Nous ne répétons autant le mot que dans la mesure où nous refusons, sinon la chose, du moins toutes les conditions qui sont indispensables à son développement.

LES PROBLÈMES DE LA SOCIÉTÉ FRANÇAISE

Le poids de la centralisation bureaucratique, l'impact d'une longue tradition de commandement militaire, le développement d'organisations industrielles qui ont adopté le modèle d'organisation que leur offrait l'Etat ou l'Armée nous ont habitués à un modèle général de centralisation que tempère seulement l'anarchie des privilèges et les bons sentiments du paternalisme. Un tel système s'accompagne naturellement de l'existence d'un fossé entre dirigeants et exécutants, d'un style rigide de relations entre groupes humains, d'un modèle contraignant de jeu fondé sur la défense et la protection et d'une passion générale de tous les individus pour la sécurité. A l'intérieur même de l'entreprise, les relations entre individus de conditions différentes restent difficiles. Dès lors, l'individu est rejeté vers le groupe de ses pairs qui, seul, peut assurer sa protection.

Ceci nous vaut une situation de stratification où chaque groupe combat pour conserver ses privilèges.

Les conséquences se font sentir dans le fonctionnement même de l'entreprise. La nécessité où se trouve le groupe de faire pression sur l'individu pour maintenir sa cohésion est le plus sérieux obstacle à la participation.

Les contraintes du système culturel toutefois laissent une assez grande liberté de jeu, et s'il n'est pas question de vouloir résoudre la quadrature du cercle de la participation au niveau d'une entreprise subissant les contraintes de son milieu, du moins peut-on déjà mobiliser de très larges ressources que les progrès potentiels du système actuel rendent déjà disponibles.

A tous les niveaux de l'entreprise, des compromis élaborés par voie de négociation sont plus efficaces que des directives trop rationnelles venant d'en haut. Chacun, depuis le manœuvre jusqu'au directeur, doit pouvoir exprimer les problèmes (relations avec l'outil, les machines, les subordonnés, les supérieurs, les autres services, etc.) que lui pose la réalisation des objectifs que l'organisation lui assigne.

Au fond, le principe majeur de toute participation, ce n'est pas la communication (simple information), ni seulement le dialogue sur les grands objectifs et les petits moyens, mais la négociation (donc l'affrontement générateur du compromis) sur les éléments les plus pratiques de la vie de tous les jours. Cette négociation ne se confond pas avec la négociation patronat-syndicat qui porte, le plus souvent, sur la protection et la sécurité du salaire et de l'emploi. Elle est une difficile conquête, car elle met en cause l'équilibre de l'entreprise et sa gestion quotidienne. Mais elle vaut largement le risque qu'elle fait courir.

DEUXIÈME PARTIE

LA SOCIÉTÉ FRANÇAISE COMME SOCIÉTÉ BLOQUÉE

CHAPITRE V

DU MALAISE DE L'ADMINISTRATION

L'Administration française offre le meilleur exemple de toutes les pratiques qui bloquent le développement de la société. Mais ces pratiques ne se sont pas développées par hasard ; elles sont les conséquences d'un système qui constitue un des archétypes, sinon l'archétype, du mode de gouvernement caractéristique de la société française. Elles s'expriment dans un style extrêmement affirmé, dont la permanence et la singularité n'ont pas été suffisamment mises en valeur.

PERMANENCE D'UN STYLE ADMINISTRATIF FRANÇAIS

L'Administration publique française, comme toute très vaste institution humaine, est constituée d'un ensemble disparate de pièces et de morceaux, dont les frontières ne sont pas tellement précises. C'est d'autre part un ensemble vivant, donc en constante évolution, dont il est difficile de définir l'état présent. Et pourtant, derrière ces apparences de diversité et de complication, d'évolution et de changement, toute analyse un peu plus profonde découvre l'existence de quelques traits extrêmement stables.

Depuis la parution de *l'Ancien Régime de la Révolution*, quatre régimes se sont succédé, le nombre des fonctionnaires a décuplé, les tâches dévolues à l'Administration se sont transformées et multipliées, l'usage du téléphone, de la machine à écrire, et maintenant de l'électronique, bouleverse les relations humaines des fonctionnaires et les conditions de l'action administrative, et pourtant les pages vigoureuses que Tocqueville consacrait à cette « administration réglementante, contraignante, voulant prévoir tout, se chargeant de tout, toujours plus au courant des intérêts de l'administré qu'il ne l'était lui-même, sans cesse active et stérile[1] », paraissent tout aussi actuelles qu'à l'époque où il les écrivit. Certaines de ses remarques pourraient très bien servir de rapport introductif pour un groupe de discussion de jeunes fonctionnaires réformateurs. Mieux encore, il n'est pas rare de découvrir en province, en bonne place sur le bureau de l'entrepreneur de Travaux publics local, un extrait de *la Dîme royale,* imprimé par les soins de sa fédération professionnelle. Si vous interrogez le maître des lieux, la violence de ses attaques contre le système des adjudications vous persuadera que les indignations de Vauban ont gardé pour lui la même valeur affective que pour ses confrères du Grand Siècle. A deux siècles et demi de distance, malgré les révolutions, les guerres et l'avènement du machinisme, les positions ne semblent pas avoir le moins du monde bougé.

Il faut donc bien en conclure à l'existence de quelques constantes de comportements, ou plutôt de rapports humains, propres au fonctionnement de la machine administrative française, qui ont survécu à l'épreuve du temps et au bouleversement des techniques, des croyances, des mœurs et des objectifs au moins apparents du milieu. Nous avons cru pouvoir attribuer le maintien de telles constantes à l'existence d'un système de relations homéostatiques extrêmement stables que nous avons appelé *modèle bureaucratique français*[2].

Résumons brièvement les caractéristiques essentielles de

1. A. de Tocqueville, *l'Ancien Régime de la Révolution,* t. 1, p. 287, Gallimard, Paris, 1953.
2. Michel Crozier, *le Phénomène bureaucratique,* Ed. du Seuil, Paris, 1963, 413 p.

ce système. C'est naturellement un système *extrêmement centralisé*. Mais le sens profond de cette centralisation, que tous les observateurs s'accordent à reconnaître, n'est pas du tout de concentrer un pouvoir absolu au sommet de la pyramide, mais de placer une distance ou un écran protecteur suffisant entre ceux qui ont le droit de prendre une décision et ceux qui seront affectés par cette décision. Le pouvoir qui tend à se concentrer effectivement au sommet de la pyramide est un pouvoir surtout formel, qui se trouve paralysé par le manque d'informations et de contacts vivants. Ceux qui décident n'ont pas les moyens de connaissance suffisants des aspects pratiques des problèmes qu'ils ont à traiter. Ceux qui ont ces connaissances n'ont pas le pouvoir de décision. Le fossé entre les deux groupes, ou plutôt entre les deux rôles, se reproduit presque fatalement. Il constitue un excellent moyen de protection pour les supérieurs qui n'ont pas à craindre de pâtir des conséquences de leurs décisions et pour les subordonnés qui n'ont pas à redouter l'intrusion de leurs supérieurs dans leurs problèmes.

Cette tradition de centralisation est liée à une autre caractéristique moins souvent reconnue, mais tout aussi essentielle, *la stratification*. Les administrations françaises sont très fortement stratifiées selon les lignes fonctionnelles, mais surtout hiérarchiques. Les passage de catégorie à catégorie sont difficiles et les communications entre catégories, mauvaises. A l'intérieur de chaque catégorie, la règle égalitaire prévaut et la pression du groupe sur l'individu est considérable.

Un tel système présente des avantages certains de stabilité, de régularité et de prévisibilité. Mais, en même temps, il est extrêmement rigide et sécrète naturellement la routine. Puisque les subordonnés ont intérêt à bloquer les informations, les supérieurs, qui n'ont pas les moyens de connaître de façon pratique les variables essentielles qui devraient être prises en considération, auront naturellement tendance à s'appuyer sur des règles abstraites ou à s'autoriser de précédents pour prendre leurs décisions. Centralisation et stratification constituent de telles barrières à la communication que les conséquences des décisions « bureaucratiques » mettront longtemps à apparaître. Le système ne peut pas se corriger en fonction de ses erreurs. Il a tendance à se refermer constamment sur lui-même.

Pour parer aux difficultés d'un tel mode d'organisation, les dirigeants doivent s'efforcer de tout prévoir et de tout régler à l'avance. Mais comme ils ne peuvent naturellement y réussir, le système doit tolérer de nombreuses exceptions qui se constituent et se reconstituent constamment autour des zones d'incertitude qu'il ne parvient pas à éliminer. Les fonctionnaires qui doivent faire face à ces situations ne manquent pas de tirer parti de l'occasion qui leur est ainsi donnée pour affirmer leur pouvoir au sein du système et contre lui, et c'est ainsi que se créent et se maintiennent des féodalités et des privilèges qui paraissent absolument inadmissibles, aussi bien aux dirigeants du système qu'au reste de ses membres. Telle est la source concrète et rationnelle, nous semble-t-il, de la violente passion des fonctionnaires français contre les privilèges et le favoritisme, qui pousse continuellement à plus de centralisation. Ils passent leur temps en fait à lutter contre les conséquences d'une inadaptation de l'Administration à la réalité, qu'ils contribuent, par cette lutte même, à maintenir et à développer.

Enfin, puisque toute adaptation locale n'est jamais considérée que comme un palliatif provisoire, une entorse aux principes imposée par les circonstances, et non comme une expérience ou une tentative de réforme capable d'apporter un progrès, le changement ne peut se produire que quand la somme des erreurs et des inadaptations est devenue si considérable qu'elle menace, sinon la survie, du moins l'équilibre de l'ensemble du système. Le changement prend alors la forme d'une crise qui ébranle l'ensemble du système, mais maintient ses principes et sa rigidité.

QUELQUES EXEMPLES DE BLOCAGES CARACTÉRISTIQUES

Ces analyses ne sont pas fondées sur un modèle déductif, elles ont été développées à partir d'études de cas très concrètes et peuvent être appliquées à toutes sortes de pratiques administratives différentes que nous avons tous expérimentées personnellement. Dans ces pratiques, le style administratif à la française se traduit finalement comme une méthode de décision fondée sur une mauvaise ou une fausse communication qui permet de ménager la susceptibilité des différents échelons ou partenaires d'une opération administrative aux dépens de l'efficacité ou du résultat de cette opération.

Nous allons en examiner brièvement quatre exemples très différents qui vont nous permettre de faire apparaître la permanence du même mécanisme dans des situations et avec des jeux chacun tout à fait particuliers.

Le jeu de l'échelon tampon ou du parapluie.

C'est le cas d'une grande organisation administrative très mécanisée chargée d'effectuer des opérations comptables d'ordre répétitif. Cette organisation donne au public un bon service, mais elle fonctionne assez mal et de façon extrêmement éprouvante pour son personnel, sans avoir pour autant un rendement satisfaisant.

Le malaise est grand parmi le personnel, cadres compris, mais les responsables au niveau directorial ou ministériel en minimisent l'ampleur et l'attribuent à des phénomènes généraux, sur lesquels personne n'a de prise, comme l'évolution technique.

Une enquête auprès du personnel permet de montrer au contraire que le mauvais fonctionnement et le mauvais climat sont dus au jeu de l'échelon tampon.

Le point le plus sensible concerne la masse des employées qui sont des mécanographes. Contrairement à l'image qu'on en a au sommet, ces employées ont de bonnes relations avec leur encadrement direct, mais se plaignent très agressivement de leurs cadres supérieurs, avec lesquels pourtant elles n'ont presque pas de contacts.

Le mécanisme qui permet d'expliquer ce paradoxe est très simple, mais d'une grande logique. Ce sont les cadres supérieurs qui décident au coup par coup des problèmes qui affectent directement la vie quotidienne de travail des employées, et en particulier des aménagements possibles de la charge de travail et de l'octroi de permissions individuelles d'absence aux employées. Pour prendre ces décisions, ils sont obligés de se reposer entièrement sur les informations que leur fournissent les cadres subalternes. Or, ceux-ci ont intérêt à les tromper, car ils sont en concurrence les uns avec les autres pour obtenir, dans un ensemble dominé par la pénurie, les moyens nécessaires à la bonne marche de leurs services respectifs ; il leur faut fausser les informations s'ils veulent influencer en leur faveur les décisions qui seront prises [1].

Sachant qu'ils sont incapables de recueillir de bonnes informations, les cadres supérieurs vont en général choisir le jeu du moindre risque, c'est-à-dire prendre des décisions de caractère impersonnel et routinier qui seront inadéquates aussi bien du point de vue des individus concernés que du point de vue de l'efficacité de l'ensemble.

Les réactions de chaque partenaire sont conformes aux attentes d'un scénario parfaitement intériorisé. Le groupe qui se voit refuser un renfort ou l'employée qui se voit refuser une permission d'absence maudissent le cadre supérieur vicieux ou mal informé ; le cadre subalterne responsable s'indigne et proclame bien haut qu'on n'a pas voulu l'écouter ; le cadre supérieur se retranche dans le silence du règlement, sachant bien que ces péripéties se succèdent et s'an-

---

1. Et ils n'ont aucun intérêt à cultiver les bonnes grâces de leurs supérieurs, car ceux-ci n'ont aucun moyen de les récompenser, du fait d'un système d'avancement à l'ancienneté.

nulent et qu'il aurait encore plus de difficultés s'il cherchait, pour prendre de meilleures décisions, à briser l'écran imperméable que constitue l'échelon tampon des cadres subalternes.

Pourquoi un système, par certains côtés tout à fait absurde, peut-il continuer à fonctionner ? Parce que tout le monde est à la fois victime et complice. Les employées se voient épargner tout risque de dépendance directe à l'égard du chef, elles se sentent protégées par l'échelon tampon. Les cadres subalternes sont protégés à la fois de leurs employées, à l'égard desquels ils ne sont jamais responsables, et de leurs chefs qui n'ont jamais les moyens d'intervenir dans leurs affaires. Les cadres supérieurs, enfin, n'ont à prendre aucun risque et ne sont en fait responsables de rien. Tout le monde, finalement, semble préférer les blocages et les chamailleries aux risques du conflit et de la responsabilité. L'échelon tampon, forme bien cachée, mais la plus générale de la pratique du parapluie, est un élément indispensable de la non-communication institutionalisée qui caractérise le fonctionnement interne de l'Administration française.

L'opposition entre le dirigeant majestueux
et l'exécutant rebelle.

On se représente généralement le petit fonctionnaire comme l'exécutant docile d'une politique administrative tatillonne et prenant sur les administrés une injuste revanche des difficultés qui sont les siennes. Nous avons rencontré dans une des situations les plus propices au développement de comportements de cet ordre des attitudes en fait tout à fait différentes.

Les petits employés de préfecture, ceux auxquels le public se heurte aux guichets, se sont révélés extrêmement critiques de l'Administration, et leurs commentaires étaient tout à fait en harmonie avec ceux des assujettis. Comme dans le cas précédent, ils dirigeaient leur ressentiment contre un échelon supérieur, l'échelon de direction, en l'occurrence les membres du corps préfectoral.

Le jeu toutefois est dans ce cas beaucoup plus complexe. L'échelon de direction tire son pouvoir du fait qu'il est la seule autorité qui ait le droit d'assouplir l'application des règles. Mais pour que cette liberté ait un sens, il faut que ces règles soient habituellement observées à la lettre. Pour qu'un préfet ou un directeur puisse avoir le beau rôle, il importe donc que les petits fonctionnaires se comportent de façon mesquine et tatillonne.

Les exécutants ainsi manipulés par un système qui fait d'eux les instruments méprisés d'une politique tout à fait différente de l'esprit des règles dont on leur donne la garde, se rebellent à la fois en attaquant le système du point de vue des administrés et en faisant pression sur les échelons supérieurs, pour rendre impossibles les passe-droits.

Mais cette pression ne peut avoir pour conséquence qu'un alourdissement du système, dont fonctionnaires et administrés sont également les victimes. Elle rejoint d'ailleurs la pression des administrés qui font chorus avec eux contre tout favoritisme. Si bien finalement, curieux paradoxe, que c'est l'échelon directorial qui garde seul le souci d'humaniser la machine.

Comme le jeu de l'échelon tampon, le jeu de la règle et du passe-droit aboutit à la non-communication. Les relations entre petits fonctionnaires et « administrés » sont des relations dépouillées de tout risque de dépendance, de favoritisme ou de collusion, mais qui ne permettent pas d'arrangements rapides et efficaces. La méthode qui consiste à réserver au sommet de la pyramide le pouvoir trop dangereux de faire des exceptions ou des arrangements aboutit à paralyser la majeure partie de la machine administrative, et secondairement à encombrer le sommet qui se trouve ainsi enlisé dans le coup par coup.

La complicité entre l'administrateur et le notable.

Passons à un échelon plus élevé et examinons par exemple l'opposition très clairement affirmée entre l'administrateur de base — directeur, ingénieur en chef, préfet — qui maintient tous les pouvoirs locaux en tutelle, et le notable, et plus particulièrement le maire qui défend les libertés locales face aux empiètements de l'Etat.

Cette opposition est en fait du domaine rhétorique. Ces acteurs que tout sépare socialement et qui s'affrontent dans une opposition officielle sont, en fait, pleins d'égards les uns pour les autres, car ils dépendent très profondément les uns des autres pour réussir chacun dans son rôle.

Le maire dépend du préfet par exemple parce que seul celui-ci a la liberté d'assouplir les règlements qui le paralysent. Il a intérêt à avoir l'oreille de son préfet, car celui-ci dispose du meilleur réseau d'information du département.

Enfin et surtout, c'est le préfet qui peut seul lui donner la reconnaissance officielle qui fera de lui un notable et consolidera sa situation politique.

Mais le préfet, à son tour, dépend de ses notables, car il ne peut rien réaliser seul. Pour qu'il réussisse à mettre à exécution les projets qui feront sa réputation d'homme d'action, il faut que ses notables acceptent de se laisser manipuler par lui et ne troublent pas le consensus général. Les deux partenaires, finalement, ont besoin de conjuguer leurs efforts pour faire pression sur les autorités parisiennes.

Derrière l'opposition apparente, on découvre donc une complicité profonde qui repose sur l'acceptation des mêmes valeurs d'ordre, de stabilité et d'harmonie[1].

Mais cette complicité aboutit à un blocage conservateur, car la double manipulation à laquelle doivent se livrer les deux partenaires dilue les responsabilités, ralentit énormément les décisions et permet d'éluder tous les problèmes difficiles.

---

1. Voir Jean-Pierre Worms : « Le préfet et ses notables », *Sociologie du travail*, mars 1966.

*L'opposition entre le technicien empiriste
et le théoricien idéaliste.*

Ce jeu est plus caractéristique du fonctionnement interne
de l'appareil de l'Etat que des rapports entre l'Etat et les
citoyens.

Le meilleur exemple qu'il m'a été donné d'analyser en est
celui des rapports entre ingénieurs polytechniciens et ingénieurs mécaniciens d'un monopole d'Etat que j'ai décrit
dans *le Phénomène bureaucratique.*

Aux polytechniciens vont les promotions, les honneurs
officiels et le pouvoir théorique. Les mécaniciens, eux, ne
peuvent passer dans le cadre de direction et n'obtiennent
jamais que des avancements d'échelons.

Dans toutes les usines étudiées, une vingtaine, l'opposition
est violente entre les deux groupes ; les polytechniciens accusent les mécaniciens d'être bornés et arrogants ; les mécaniciens accusent leurs partenaires d'être complètement dénués
de sens pratique.

Cette opposition trouve son origine dans la conjonction
qui s'est créée entre la situation de carrière et la situation
de travail. Frustrés sur le plan de la carrière, les mécaniciens
se trouvent dans une position favorable sur le plan du travail, car ils contrôlent la seule source d'incertitude qui subsiste dans un ensemble parfaitement rationalisé : l'entretien
et les travaux. Il est impossible de les empêcher de se servir
du pouvoir qu'ils en tirent pour bloquer les initiatives des
polytechniciens.

Ces derniers, en conséquence, n'apparaissent raisonnablement adaptés à leur sort, malgré leur situation de patrons,
que quand ils se sont résignés à l'impuissance, alors que les
mécaniciens qui se plaignent constamment d'être les victimes surmenées du système sont extrêmement satisfaits (et
d'autant plus satisfaits d'ailleurs qu'ils sont plus agressifs).

Les conséquences de cette opposition sur les mécanismes
de décision sont fondamentales :

— les mécaniciens, qui sont révolutionnaires sur le plan
social, sont extrêmement conservateurs en matière de tech-

nique et d'organisation, car leur pouvoir repose sur le maintien de pratiques surannées ;

— les polytechniciens, qui restent conservateurs sur le plan social, sont en revanche très modernistes sur le plan technique, car ils voient dans toute réorganisation le moyen de reprendre l'avantage sur leurs adversaires.

Le blocage qui résulte de cette opposition est total. Chacun des deux groupes possède une moitié de ce qui est indispensable pour transformer une situation anachronique. Mais ils sont incapables de coopérer. Le supérieur manquant d'informations pertinentes fait des plans trop abstraits. L'inférieur, maître du système D, s'en sert pour paralyser un supérieur avec lequel il ne peut entrer en compétition. Les membres de l'un ou l'autre groupe n'échappent que très rarement à ce déterminisme, dans la mesure où l'impossibilité de passage ou d'échange réel entre eux les oblige à identifier leur intérêt personnel à l'intérêt du groupe dont ils font partie.

Nous avons là une caricature certes, mais bien réelle, de la situation archétypique que l'on retrouve derrière tous les conflits de castes qui font la trame quotidienne de la vie administrative et qui rendent toute évolution aussi difficile.

LES DIFFICULTÉS ACTUELLES
DU MODÈLE ADMINISTRATIF FRANÇAIS

Le système d'organisation et le style d'action bureaucratique à la française offraient de bonnes réponses aux problèmes que posait le gouvernement des hommes dans une société dominée par des valeurs préindustrielles. On peut même aller plus loin et penser que c'est le développement de ce système et de ce style qui a contribué à maintenir plus longtemps l'emprise de ces valeurs. C'est parce qu'ils avaient une telle solution à leur disposition que les Français ont pu cultiver ce sens de l'autonomie de la personnalité, cette liberté intellectuelle et cette sécurité interne qui ont longtemps caractérisé le modèle de civilisation de la société française.

Mais s'il en est ainsi, s'il y a vraiment symbiose profonde entre la société française et son style administratif, la première conclusion qui s'impose à l'esprit, c'est que, quelles que puissent être les conséquences défavorables d'un tel système, il ne peut être profondément ébranlé, puisqu'il est l'expression même de la société qu'il sert et dont il est en même temps le reflet indirect.

L'argument serait irréfutable si un mode d'action comme le style administratif français n'avait d'autre fin que le maintien des relations fondamentales du système social français dont il est l'expression. Cette fonction de conservation certes est essentielle, mais elle n'est pas la seule. Un style d'action et le système d'organisation qui le sécrète ne peuvent subsister que s'ils remplissent aussi des services, des fonctions pratiques. On doit les considérer comme des moyens et les juger d'un point de vue instrumental, d'après les résultats qu'ils permettent d'obtenir. De tels jugements, il est vrai, sont très difficiles à formuler pour un ensemble aussi vaste que l'ensemble administratif, dont les résultats ne sont guère mesurables, au moins directement. C'est certainement une des raisons pour lesquelles les administrations publiques gardent, dans tous les pays, des caractères nationaux beaucoup plus marqués que d'autres activités. Mais le développement du calcul économique et, plus généralement, de la rationalité, rend cette distinction de moins en moins forte. Le rétrécissement du monde, l'interpénétration des sociétés, les possibilités de connaissance et de comparaison qui en sont la conséquence, font apparaître beaucoup plus clairement que jadis les conséquences pratiques des méthodes utilisées dans l'action.

Si l'on examine à la lumière de cette évolution ses résultats pratiques en fonction de son coût, il apparaît très clairement que le système administratif français est de plus en plus dépassé. Tout d'abord parce que c'est un système qui n'offre pas de bonnes possibilités de communication et de participation, et se trouve, de ce fait, incapable d'utiliser efficacement ses ressources humaines et matérielles, ensuite parce que c'est un système qui s'adapte lentement et difficilement au changement, enfin parce que c'est un système qui a tendance à s'appauvrir intellectuellement et à perdre sa capacité de se renouveler et d'innover.

La capacité de communication constitue désormais une des conditions essentielles du bon fonctionnement d'un système d'organisation moderne. Son efficacité dépend de plus en plus en effet des possibilités que peuvent avoir ses dirigeants, d'une part, d'être informés le plus rapidement possible et de façon précise, de toutes les variables qui commandent leurs décisions, d'autre part, de faire connaître à leurs subordonnés rapidement et dans toutes leurs nuances les objectifs que fixent ces décisions, les moyens utilisables et les conditions de mise en œuvre qu'elles impliquent. Les progrès spectaculaires de la technique des communications ont augmenté considérablement les possibilités dans ce domaine. Mais c'est une erreur profonde de croire qu'il s'agit là seulement d'une affaire technique. Une organisation ne peut utiliser les extraordinaires virtualités de ces techniques que si elle a su éliminer les barrières qui interdisent aux groupes et aux strates hiérarchiques et fonctionnelles de communiquer de bonne foi. La révolution technique ne fait qu'accentuer le fossé entre les organisations capables, pour des raisons humaines, d'utiliser efficacement ce qu'elle apporte et celles que leur propre système social rend incapables d'en tirer parti.

Les administrations françaises se trouvent très généralement dans le dernier cas. Quand elles se servent de moyens modernes, c'est pour augmenter encore le volume de la fausse communication qui ne peut que les paralyser. Ce n'est en effet ni au volume des circulaires et des notes de service, ni même à celui des états statistiques dépouillés par des moyens électroniques, que peut se mesurer la capacité de communication d'un système. Cette littérature est d'autant moins lue qu'elle est moins pertinente. A tous les niveaux, on s'en sert davantage pour se protéger que pour s'informer. Et l'administration en cause se trouve en général engagée dans un cercle vicieux ; moins on est capable d'obtenir et de diffuser des informations pertinentes, plus on développe la fausse communication qui dévalorise la notion d'information et rend plus facile la fuite devant la communication réelle. Tant que n'auront pas changé les rapports humains qui commandent la bonne communication et qui sont paralysés dans l'Administration française par les traditions de centralisation et de stratification, la situation ne pourra s'améliorer. Quand les entreprises privées étaient encore dominées, dans tous les pays, par un paternalisme tout aussi peu propice à la communication, le style administratif français pouvait passer pour efficace ; depuis que, dans les sociétés les plus modernes, les grandes entreprises ont découvert des moyens de gouvernement plus libéraux, ses insuffisances commencent à se découvrir ; maintenant que le progrès technique semble pouvoir offrir des possibilités de transformation jusqu'alors insoupçonnées, l'incapacité de l'Administration française à combler son retard en ce domaine va devenir de plus en plus insupportable.

Le problème de la capacité de participation est naturellement un problème très proche de celui de la capacité de communication. Ce problème est en général obscurci parce que, comme nous l'avons vu, on l'aborde généralement dans une perspective morale. On voudrait faire participer les subordonnés, parce que la participation c'est la mise en œuvre de la démocratie dans l'entreprise ou dans l'Administration, et parce qu'il est immoral de refuser à quelqu'un le droit de s'occuper des affaires de la collectivité dont il fait partie. Mais, nous avons essayé de le démontrer, les possibilités de participation réelle apparaissent d'autant meilleures que l'on veut bien reconnaître que le droit de participation, loin d'être un cadeau que l'on devrait faire aux inférieurs pour des raisons morales, constitue pour eux une charge que les dirigeants doivent payer, mais grâce à laquelle peut se constituer un capital dont l'importance peut devenir considérable pour l'entreprise. Toute organisation moderne repose en effet de plus en plus sur la bonne volonté de ses membres, sur leur capacité d'adaptation et d'innovation, sur leur aptitude à coopérer entre eux. Plus une organisation est complexe, moins elle peut fonctionner en se contentant de faire appliquer des règlements, plus elle doit compter sur la coopération de son personnel et plus elle doit s'efforcer d'obtenir la participation consciente de celui-ci à l'effort commun.

Or, le style administratif français, tout le monde en convient, ne favorise pas ce type de participation. Fondé sur des principes hiérarchiques rigides, qui aboutissent en fait à une séparation profonde entre la carrière, fonction d'une esence mystérieuse distillée dans les concours, et les avatars accidentels des taches et des fonctions, il ne permet ni de stimuler ni de récompenser la participation. La distinction entre les gens qui pensent et les gens qui exécutent reste fondamentale. On conçoit donc que les subordonnés n'aient guère envie de manifester un zèle qui ne peut leur attirer que des ennuis. Le seul mode de participation qui se développe dans un tel système, c'est celui que nous avons décrit sous le nom de participation forcée. Les intéressés acceptent bien de prendre des initiatives, mais à condition de pouvoir prétendre qu'ils y sont forcés et qu'ils n'en sont pas responsables. De telles pratiques permettent de suppléer à beaucoup d'insuffisances du système, mais elles ont d'énormes inconvénients ; d'abord, elles sont pour les subordonnés la source de privilèges et d'avantages occultes qui coûtent beaucoup plus cher à l'Administration que la récompense d'une participation ouverte ; ensuite, elles ne sont efficaces que dans des limites assez étroites ; enfin et surtout, elles tendent à bloquer le système à un niveau minimum de participation, satisfaisant pour la routine, mais complètement insuffisant pour faire face aux transformations incessantes que tend à imposer de plus en plus l'environnement.

De façon générale, on peut dire que l'Administration française ne mobilise qu'une part très faible des ressources humaines qui sont à sa disposition. Là encore, l'acuité du problème est toute nouvelle et on est loin d'en apercevoir toutes les conséquences. Tant que les sociétés industrielles étaient encore dominées par de petites organisations et que la non-participation des subordonnés pouvait rester la règle, le sentiment de « grandeur et servitude » du service public pouvait compenser le caractère étouffant de ses règles. Maintenant que les très grandes organisations dominent dans les pays avancés et qu'elles ont su, malgré tous leurs défauts et insuffisances, mobiliser le zèle de leurs membres en décentralisant leurs opérations et en acceptant des formes limitées mais concrètes de dialogue et de participation, le style administratif français paraîtra, s'il ne se réforme pas, aussi archaïque et oppressif qu'il paraît déjà inefficace.

Communication et participation semblent d'autant plus nécessaires que le problème de l'adaptation au changement devient plus pressant. Le système bureaucratique français a fonctionné jusqu'à présent, nous l'avons vu, grâce à un mécanisme de changement par crise. Incapable de se corriger en fonction de ses erreurs, il est obligé de laisser s'accumuler les problèmes jusqu'au moment où une transformation totale pourra lui permettre de résoudre d'un coup ses difficultés sans risquer de mettre en danger les équilibres fondamentaux entre ses groupes et ses membres, qu'il lui importe de préserver.

Un tel mécanisme tend à faire du réformateur un personnage autoritaire et charismatique, agissant par intuition plus que par raison. La crise ne manque pas, en outre, de soulever des réactions psychologiques violentes et de laisser ensuite des souvenirs désagréables. Pour toutes ces raisons, ce mode de changement contribue certainement à renforcer les réactions traditionnelles de résistance. Il est en outre peu efficace, car il opère généralement de façon aveugle ; les réformateurs doivent se cacher de toutes les parties intéressées pour échapper à leurs pressions ; ils peuvent difficilement contrôler leurs informations et se livrer à des expérimentations.

Enfin et surtout, s'il était relativement bien adapté au rythme d'une société à évolution lente comme la société bourgeoise du XIXᵉ siècle, ce mode de changement apparaît complètement inadéquat dans le monde à rythme en accélération constante dans lequel nous entrons. On pouvait, après tout, facilement accepter l'éventualité d'un mécanisme de changement par crise lorsqu'il suffisait d'une crise tous les vingt ans, soit une par génération. Ce même mécanisme devient paralysant quand la nécessité d'opérer un changement s'impose tous les cinq ans. Il est alors absurde de légiférer au niveau absolu et de fonder l'éternité à un tel rythme.

Le modèle administratif français est donc de moins en moins rationnel. Il est abstrait, ne permet pas d'exprimer les conflits et les besoins de la société qu'il sert et dont il traduit de plus en plus maladroitement les problèmes et devient finalement, malgré la primauté qu'il donne traditionnellement aux valeurs de l'esprit, un système de plus en plus pauvre en capacité d'innovation et de progrès intellectuel. Le paradoxe est saisissant. On s'efforce de recruter les sujets les plus brillants en maintenant pour leur sélection les critères les plus difficiles. On leur donne une situation privilégiée, on les protège contre toutes les pressions et l'on se trouve finalement prisonnier de modes de raisonnement conservateurs qui permettent aux individus de briller, mais les détournent des fonctions d'innovation auxquelles on les destinait.

Le paradoxe peut s'expliquer, à notre avis, par la profondeur des transformations qui affectent les fonctions intellectuelles dans le monde moderne. Dans les sociétés du XIX° siècle, on tendait à séparer radicalement le monde des idées où la pensée pouvait librement se mouvoir sans tenir compte de moyens qu'elle ne pouvait appréhender et le monde de l'action qui restait du domaine de l'empirisme et du compromis et demeurait affecté, de ce fait, d'un préjugé défavorable. La transformation qui s'opère lentement depuis vingt ans, et dont nous commençons à entrevoir les premiers résultats, tend à combler ce fossé traditionnel. La société devient plus consciente d'elle-même et de ses moyens. L'on se réfère moins aux principes qui doivent dicter les conduites et l'on commence à envisager la manière dont les leçons de l'expérience peuvent servir à anticiper l'avenir, plutôt qu'à restreindre l'action aux normes du passé.

Cette conscience nouvelle correspond à l'apparition d'une

nouvelle forme de rationalité. On peut donc la considérer comme un progrès intellectuel et elle s'accompagne effectivement d'une floraison de disciplines et de modes de raisonnement nouveaux (recherche opérationnelle, théorie des jeux, économétrie, théorie des organisations, cybernétique, théorie des systèmes, etc.). Mais en même temps elle ne peut se développer pleinement que si elle s'accompagne d'une transformation des rapports humains qui s'établissent autour de la recherche intellectuelle. Alors que l'intellectuel du XIXᵉ siècle restait solitaire et séparé de l'action, l'intellectuel nouveau style doit baigner dans l'action (dont les résultats lui offrent un irremplaçable moyen d'expérimentation), et surtout faire partie d'un milieu ouvert, facilitant la confrontation aux frontières des disciplines et des modes de penser traditionnels. C'est sur ce point que la société française en général, et la société administrative en particulier, sont le plus mal partagées, et c'est ce qui explique leur retard, en dépit des atouts dont elles disposaient.

La très malencontreuse coïncidence que l'on rencontre dans l'Administration entre la formation, l'appartenance de corps, les chances de succès dans la carrière et le rôle social, constitue un facteur de conservatisme difficile à surmonter. Les modes de raisonnement deviennent des propriétés corporatives qu'il est impossible de remettre en question, parce que la carrière des membres du corps en dépend. C'est ainsi que l'utilisation d'un raisonnement économique rationnel s'est trouvée bloquée pendant quinze ans, malgré une ouverture théorique au niveau des principes. Ce n'est pas assez de transformer et même de révolutionner des élites administratives, c'est le système de relations humaines dont elles participent — c'est-à-dire le style bureaucratique — qui est en cause. Tant que ce style demeurera semblable à lui-même, le retard intellectuel ne pourra pas être comblé, malgré tous les efforts dont nous sommes actuellement témoins. Bien plus, l'Administration française risque de se trouver complètement dépassée le jour où l'accumulation des expériences rendues possibles par le développement de nouvelles formes d'intervention permettra de passer à un nouveau stade de raisonnement intellectuel. Le progrès ne s'arrêtera pas et le style bureaucratique français, malgré les apparences, ne permet plus de le suivre dans des conditions satisfaisantes.

L'existence de toute cette série d'infériorités du système administratif français, que l'accélération du progrès scientifique et technique et la pression des comparaisons internationales vont révéler de façon de plus en plus criante, risque d'avoir des conséquences d'autant plus importantes que, parallèlement, les fonctions latentes de ce système et de ce style, les fonctions psychologiques et sociales qu'il remplit, tendent à perdre de leur poids.

Non pas que ces besoins d'autonomie personnelle et de liberté intellectuelle disparaissent, tout au contraire, mais il devient possible de les satisfaire autrement et à moindre coût. Aux pressions utilitaires d'une société mécontente des résultats qu'elle obtient, ne va donc désormais répondre qu'une moindre force de résistance d'individus qui seront de plus en plus sensibles à l'existence d'autres systèmes d'organisation capables de leur assurer la protection à laquelle ils tiennent.

L'évolution des grandes organisations modernes, en effet, ne semble pas s'effectuer dans la direction oppressive et bureaucratique que des analyses superficielles ont popularisée. L'amélioration constante des moyens de prévision permet d'exercer plus de tolérance dans l'application des règles. L'organisation peut fonctionner avec un degré de conformité plus faible. La connaissance permet de limiter la contrainte, puisque l'on peut prévoir sans recourir à la contrainte pour assurer l'exactitude des prévisions. Parallèlement, les individus sont beaucoup mieux formés au travail de coopération. L'autonomie personnelle, les garanties nécessaires à l'individu pour se préserver des risques de dépendance, sont donc moins nécessaires, puisque les organisations peuvent obtenir les résultats qui leur sont indispensables sans attenter à la liberté des individus et puisque ceux-ci sont capables de coopérer de façon efficace sans avoir autant besoin de protection.

Certes, on est très loin d'avoir effectué des progrès décisifs en la matière, mais déjà, tout de même, le modèle bureaucratique n'apparaît plus aussi indispensable pour protéger l'individu, et sa lourdeur, sa rigidité, n'en semblent, même en France, que plus oppressantes.

LES FORCES DE RENOUVELLEMENT

La logique d'un raisonnement *a priori* sur les conditions d'équilibre du système administratif français et sur les possibilités de survie du style d'action qui lui est propre nous conduisent naturellement à penser que ce système et ce style d'action vont très vite apparaître à la fois de plus en plus inefficaces et de moins en moins nécessaires.

Mais un système d'organisation et un style d'action inefficaces et peu nécessaires peuvent se maintenir dans le court terme et éventuellement même survivre dans le long terme, si la société dans laquelle ils se sont développés est prête à sacrifier ses chances de succès économique au maintien d'un style de vie et d'un modèle de relations auxquels elle est attachée, ou, pour être plus précis et plus nuancé, si cette société dispose des moyens psychologiques et sociaux suffisants pour se refuser à accepter des preuves de l'inefficacité de ses modes d'action qui ne pourront jamais, de toute façon, être extrêmement probantes.

Qu'en est-il actuellement dans la pratique en France ? Pouvons-nous déjà discerner des réactions significatives du système administratif français aux problèmes que pose la transformation de l'environnement ?

Trois grandes tendances nous paraissent de ce point de vue caractéristiques du malaise de l'Administration et des mouvements qui tendent à la renouveler :

1. La perte de confiance d'une partie des membres de l'élite de la fonction publique dans les vertus du système dont ils sont les leaders et les garants.

2. La dévalorisation générale des fonctions administratives dans l'échelle de prestige des professions, et le manque d'intérêt croissant des Français pour les emplois publics subalternes jadis très recherchés.

3. Le développement de nouvelles formes de rapports humains et de nouvelles méthodes intellectuelles dans des secteurs marginaux ou para-administratifs.

L'état d'esprit des cadres dirigeants est naturellement un facteur très important dans le fonctionnement d'une structure aussi hiérarchique que le système administratif français. Cette importance a été encore accrue du fait que certains secteurs de la haute fonction publique — les grands corps — se sont petit à petit spécialisés pour fournir à l'ensemble du système les agents de changement dont celui-ci a un urgent besoin, puisque le changement ne peut venir que du dehors.

Or l'état d'esprit de ce milieu a été profondément bouleversé à la fois par le choc de la guerre et de la défaite, par l'irruption d'influences intellectuelles extérieures, par le renouvellement sinon encore du système d'éducation, du moins du climat intellectuel, plus récemment enfin par la prise de conscience réformiste qui s'est opérée dans la jeunesse intellectuelle à partir de l'expérience Mendès-France. Les modèles qui inspirent l'action ont changé. Personne n'a plus la foi bureaucratique. Les héros auxquels on se réfère ne sont plus les perfectionnistes, mais des réalisateurs et éventuellement même des empiristes.

Il ne faudrait pas, toutefois, attendre des conséquences directes d'un tel changement. Le système ne donne de liberté d'action suffisante à personne, pas même à ses directeurs. Ceux-ci sont tout-puissants pour maintenir le statu quo et pour présider au rajustement du système à de nouvelles conditions, mais ils sont paralysés quand il s'agit d'opérer des réformes qui risqueraient de mettre en cause un équilibre. Ils ont le droit d'avoir des valeurs et des objectifs différents, mais ils doivent les exprimer à travers le système d'organisation traditionnel et dans le style bureaucratique que celui-ci impose. Or, ce système et ce style, nous l'avons vu, sont en fait plus importants que les objectifs dont ils commandent la réalisation. Le cynique pourrait donc facilement en conclure qu'en fait rien n'a changé, sauf la façon dont les dirigeants du système justifient leurs décisions.

L'ébranlement toutefois est beaucoup plus profond, car la foi bureaucratique des dirigeants du système est un élément indispensable, au moins dans le long terme, au bon fonctionnement de celui-ci. Certes, si on reste dans la perspective du court terme, on doit constater que le jeune haut fonctionnaire qui veut faire passer sa nouvelle « idée moderne » risque fort de devoir recourir à une épreuve de force autoritaire qui va compromettre ses bonnes intentions, et dont la principale conséquence pratique sera de renforcer la centralisation et la rigidité du segment administratif dont il est responsable. Mais, si l'on se place au plan collectif et si l'on examine la dynamique du système, l'impatience des mandarins devant les règles, les entorses aux principes qu'ils acceptent de commettre, l'appel qu'ils croient possible de faire à d'autres motivations, a des répercussions profondes sur l'état d'esprit, le moral et les orientations de toutes les strates inférieures. De proche en proche s'exerce une contamination, et c'est ainsi que l'on peut constater une dégradation générale du climat. Les novateurs contribuent sans le vouloir à affaiblir le bel instrument traditionnel qu'ils voulaient simplement appliquer à d'autres tâches. En même temps, on doit se demander si ces expériences multiples et le plus souvent malheureuses qu'ils ont lancées ne contribuent pas à susciter des changements d'une autre nature. La capacité de résistance du modèle traditionnel s'affaiblit elle aussi, tandis que les hommes s'habituent à jouer avec l'idée même de changement. On constate un peu partout qu'il est possible, dans l'Administration française, d'exprimer des idées et de faire éventuellement des expériences qui auraient choqué il y a dix ans.

À la transformation et au changement idéologique au sommet correspond une perte de substance à la base. Un système d'organisation ne peut survivre que s'il maintient un équilibre satisfaisant avec la société qui lui fournit ses membres et dans laquelle il s'insère avec un certain statut. Cette condition est particulièrement importante pour l'Adminisration française, car son système si rigoureux de stratification tend à se dégrader s'il n'existe pas à la base une pression suffisante de candidats désireux de participer aux chances de promotion qu'offre le système. Or, le problème du recrutement constitue désormais une des grandes faiblesses de l'Administration française. La crise, qui a commencé à se dessiner dès les années 1950, tend à devenir de plus en plus aiguë. Le nombre des concours où il y a davantage de postes offerts que de candidatures acceptables ne se compte plus.

Cette situation s'explique par des raisons circonstancielles et par des raisons plus générales. Les responsables administratifs attribuent une grande importance au facteur démographique et attendent avec impatience la fin des classes creuses. L'allégement qui ne va pas manquer de se produire ne va pas permettre toutefois de résoudre le problème, car d'autres facteurs plus généraux sont à l'œuvre, qui tendent à dévaloriser les emplois de petits fonctionnaires. Les emplois de bureau ne comportant que des activités de routine, de toute façon, sont très généralement dévalorisés, et le poids du système bureaucratique rend très difficile de requalifier les innombrables postes de routine qu'il a à offrir. En même temps, les garanties de stabilité, de sécurité et d'indépendance qui faisaient le prix des emplois publics se développent aussi dans le privé[1]. Le trop rigoureux système de sélection, les difficultés de promotion et le climat de contrôle étroit et d'acrimonie mesquine qui sont pour le grand public les caractéristiques les plus marquantes de l'Administration ont enlevé tout prestige aux petits fonctionnaires et tendent à écarter de la fonction publique les recrues les meilleures.

---

1. Ces garanties sont certainement beaucoup moins fortes, mais elles ont atteint un seuil suffisant pour que le climat général ait changé, et c'est ce climat qui est important, beaucoup plus que l'étendue réelle des garanties juridiques offertes.

En généralisant encore, on pourrait dire que, dans la tradition française, le système bureaucratique avait réussi à façonner son propre environnement, c'est-à-dire la société tout entière en fonction de ses besoins propres. Mais, désormais, la situation apparaît renversée ; c'est la pression de l'environnement qui commande ; tarissant ses sources de recrutement, elle rend impossible à l'Administration de se maintenir dans cet état de supériorité [1].

Que le système ait réussi jusqu'à présent à échapper à certaines de ses difficultés en faisant appel aux femmes et en les recrutant dans les régions les moins développées qui ont gardé, comme le Sud-Ouest, leur traditionnel intérêt pour la sécurité administrative, ne doit pas faire illusion : le rapport fondamental s'est renversé. Même si l'arrivée de générations plus nombreuses lui donne un certain répit, l'Administration devra tenir compte des attentes et des besoins d'un personnel que le mythe de la fonction publique n'impressionnera plus. Il lui faudra, pour garder des agents compétents, entrer en compétition directe avec le privé. On peut dire qu'elle a perdu désormais son marché préservé traditionnel. La fin de l'isolement qui va en résulter va constituer une pression nouvelle pour mettre en cause le système bureaucratique.

A côté de ces pressions convergentes de l'environnement, qui tendent à dégrader le système administratif, s'exercent également des pressions qui poussent à son renouvellement. C'est le sens de la troisième grande tendance que l'on peut relever, qui correspond au troisième mode de contact du système administratif avec le système social et qui concerne les fonctions mêmes et les services que l'Administration doit

1. Le malaise qui règne dans les rangs du personnel actuel constitue un indice très significatif de l'importance de ce problème. Mais les syndicats l'expriment encore dans une perspective traditionnelle et les pressions qu'ils développent ont jusqu'à présent tendu presque inéluctablement à accroître la rigidité de l'ensemble : entraînés à revendiquer à l'intérieur du système, ils en sont devenus en fait les garants. Malgré leurs intentions, leur influence tend à renforcer la centralisation et tout cet ensemble de routines et de barrières à l'initiative qui découragent les fonctionnaires. Le style même de leur action participe du style administratif et, de ce fait, prolonge le malaise qu'ils cherchent à dissiper.

accomplir. On constate naturellement dans ce domaine un accroissement naturel de tous les services publics et une demande irrésistible de la collectivité pour de nouvelles prestations administratives. Cette demande a été interprétée de façon trop étroite et trop idéologique à travers l'image du *Welfare State*. Une vue plus perspective semble bien montrer que le phénomène est indépendant des tendances politiques contingentes. Plus une société devient complexe, plus elle a besoin de services administratifs, et plus elle doit développer des fonctions de régulation.

Cette pression bouleverse naturellement, en France, les rapports traditionnels entre l'Etat et le citoyen. Le citoyen qui naguère refusait toute intervention de l'Etat réclame de plus en plus ses services, mais il ne peut plus s'agir du même Etat ni de la même Administration qui étaient, au fond, parfaitement adaptés à cette lutte du citoyen contre les pouvoirs. L'extension du rôle de l'Etat déséquilibre le système. Les activités de service prennent le pas sur les activités de contrôle. Cette évolution entraîne la création de nouveaux rôles qui ne s'intègrent plus dans le schéma traditionnel et en détruisent l'équilibre. Le système arrive à se désintégrer du fait de sa trop grande extension.

En même temps, de nouvelles méthodes commencent à se répandre qui permettent de faire face aux difficultés qu'entraîne cette extension. Le vaste domaine des tâches et fonctions nouvelles offre donc à la fois le spectacle d'un émiettement et d'une décomposition de l'Administration traditionnelle et l'exemple de nouveaux modes d'animation qui permettent de le contrôler. La tendance négative domine dans la plupart des départements ministériels récents. La tendance au renouvellement s'affirme dans les activités de synthèse constituées en marge de l'Administration traditionnelle ou même dans la para-administration. De nouvelles formes institutionnelles sont apparues ainsi, par exemple, dans la pyramide d'institutions administratives créées autour de la Caisse des Dépôts et Consignations, pour animer et réguler l'immense secteur des investissements collectifs locaux et régionaux. Le Commissariat général du Plan, puis les Délégations à l'Aménagement du territoire et à la Recherche scientifique, ont répondu au même besoin de découvrir des formes d'animation et de régulation nouvelles. Ces formes institutionnelles n'ont qu'une stabilité relative. Mais elles constituent une menace pour l'Administration traditionnelle, à laquelle celle-ci ne peut répondre qu'en acceptant de se transformer. Nous commençons actuellement à assister à un tel choc en retour qui montre bien la puissance de renouvellement ainsi apparue.

L'exemple du Commissariat du Plan est naturellement le plus significatif. Cette institution, dont l'influence a été sans commune mesure avec sa taille fort réduite, a pu se développer dans le désarroi général de la Libération, parce que tous les modes d'action traditionnels avaient échoué et que personne ne s'inquiétait outre-mesure de la tentative de Jean Monnet. Elle a réussi parce qu'elle répondait parfaitement aux besoins immédiats de reconstruction et de modernisation que, malgré ses divisions, la société tout entière ressentait profondément et parce que Jean Monnet et ses collaborateurs surent inventer des méthodes d'action nouvelles complètement différentes du style administratif à la française : la pratique des groupes de travail informels s'opposant au style hiérarchique, la méthode de réflexion prospective et synthétique s'opposant à la recherche des principes, l'utilisation des réseaux d'influence pour préparer les décisions s'opposant à la tradition autoritaire de la circulaire et du contrôle[1].

Ces méthodes et ce style ont fait école dans la mesure où ils ont permis de remporter d'incontestables succès, et l'on voit se répandre dans certains secteurs, très minoritaires encore mais généralement influents, des formes d'action qui doivent beaucoup à l'expérience du Plan. Le Commissariat lui-même se sert de plus en plus consciemment du crédit qu'il s'est acquis pour pousser les administrations à adopter des méthodes nouvelles. Sa politique plus ou moins cons-

---

1. Voir Michel Crozier : « Pour une sociologie de la planification française », *Revue française de sociologie*, juillet 1965.

ciente d'ailleurs consiste à utiliser les mécanismes de la concurrence administrative. En demandant aux administrations de formuler des objectifs et de les justifier dans la perspective du raisonnement synthétique qui est le sien, le Plan leur pose des problèmes qu'elles sont incapables de résoudre avec leurs ressources traditionnelles. Devant leur inertie, il constitue lui-même des instruments provisoires de remplacement. La menace de dessaisissement que ces entreprises impliquent est généralement suffisante pour obliger les administrations à se préoccuper sérieusement du problème. Souvent alors, elles se décident à faire contre le Plan ce qu'elles avaient refusé de faire avec lui. La force du Commissariat, c'est qu'il est capable de se prêter à ce jeu, d'une part parce que, ne se trouvant lié à aucun « corps » et ne se trouvant engagé dans aucune entreprise d'exécution, il peut se maintenir complètement en dehors de la lutte interadministrative traditionnelle, et, d'autre part, parce qu'il dispose d'un tel prestige intellectuel et d'un tel réseau d'influences auprès des jeunes générations de hauts fonctionnaires que la constitution de nouvelles cellules de réflexion dans les ministères, même si elle est dirigée contre lui, ne fait généralement qu'accroître ses possibilités d'influence.

Ces succès ont certainement beaucoup contribué au renouvellement de la pensée administrative. Ils restent toutefois fragiles dans la mesure où aucune de ces cellules de réflexion, pas plus d'ailleurs que le Commissariat lui-même, n'a réussi à mordre sur les activités administratives traditionnelles, sur lesquelles repose l'équilibre du système administratif. Le Plan a pu se développer pour répondre à une situation d'urgence. Cette situation d'urgence disparue, il s'est transformé en machine à découvrir de nouveaux problèmes et a suscité ainsi la création de tels instruments dans d'autres administrations. Mais, à mesure qu'elles dépassent les considérations prospectives générales, ces cellules et le Plan lui-même se heurtent à la force de résistance de l'appareil traditionnel. Seront-elles capables de communiquer à des groupes-clefs de cet appareil les méthodes, le style, qui leur ont permis de réussir ? Assistons-nous au démarrage d'une sorte d'*appren-*

tissage institutionnel dont le Plan aurait été l'initiateur ? Des organisations comme les organisations administratives pourront-elles apprendre de nouvelles règles du jeu pour faire face à des problèmes nouveaux ou pour surmonter une crise ?

Tout jugement pour le moment semble impossible. Nous découvrons un peu partout des emprunts aux « techniques » du Plan. La mode est aux groupes de travail. Mais ces formes de coopération réussissent mal dans la mesure où elles ne correspondent pas à de nouveaux rapports humains. Les transformations accomplies sont en général ambivalentes. Le Plan lui-même semble s'alourdir de plus en plus. Les rapports traditionnels se perpétuent en empruntant l'apparence du langage à la mode, tandis que les formes nouvelles, pour pouvoir se développer, se plient à certaines des règles du jeu anciennes. Ce qui paraît frappant pour le moment, c'est le développement très lent mais substantiel tout de même d'un mouvement de réforme qui ne s'exprime pas par une pensée cohérente *a priori* exigeant pour s'accomplir l'exécution de mesures autoritaires, mais qui diffuse par contagion, l'action de la cellule initiatrice se bornant à poser les bonnes questions aux bons moments, celles qui ne pourront être résolues qu'à travers le développement d'un mécanisme d'apprentissage institutionnel.

QUATRE PROBLÈMES CLEFS

Comment mesurer concrètement l'importance des tendances nouvelles dont nous commençons seulement à observer les premiers signes ? Pouvons-nous déjà prévoir leur développement ? Pouvons-nous au moins délimiter les *problèmes* qu'elles posent, ceux autour desquels se jouera la réussite de cet *apprentissage institutionnel* qui nous a semblé la condition de toute transformation profonde ? Pouvons-nous enfin localiser les points névralgiques où les cercles vicieux traditionnels approchent de la rupture, où l'apparition de modes de rapports humains et de règles du jeu a le plus de chance de bouleverser l'équilibre du système ?

Les réponses que nous pouvons donner à ces questions restent encore hautement spéculatives. Quatre problèmes, toutefois, nous ont paru mériter d'être retenus à ce premier stade d'exploration pour mettre à l'épreuve cette notion d'apprentissage institutionnel : le problème des rapports hiérarchiques entre centrales et services extérieurs, le problème des communications entre grandes féodalités administratives, le problème de la création et du maintien d'une source de renouveau intellectuel, le problème de la transformation des rapports entre le système administratif et le système politique.

Les rapports hiérarchiques entre centrales et services extérieurs constituent un des éléments essentiels du système traditionnel. La séparation entre ceux dont c'est la fonction de penser et ceux dont c'est la fonction d'exécuter est une des manifestations les plus lourdes de conséquence de la centralisation et de la stratification du système bureaucratique français. Or ces rapports se trouvent indirectement remis en question par tous les efforts de renouvellement. Ou plutôt, c'est généralement à la permanence de tels rapports que ces efforts se heurtent.

Aucune des redéfinitions d'objectifs auxquelles devrait aboutir en effet toute réflexion prospective ou tout calcul économique rationnel portant sur les activités administratives ne peut donner de résultats concrets si les rapports des services extérieurs avec leur environnement ne sont pas repensés. La liberté d'action théorique des administrations centrales en la matière pourrait paraître à première vue un très grand avantage. En fait, elle paralyse les centrales qui ne sont puissantes que dans la perspective du maintien du statu quo et n'ont pas les moyens de transformer l'équilibre (ou la symbiose) entre leurs services extérieurs et l'environnement qui s'est cristallisé en dehors d'elles et contre elles. Les changements d'objectifs qui s'avèrent indispensables impliquent donc indirectement une refonte du système de rapports internes. Et c'est naturellement à ce système

interne que se sont heurtés tous les réformateurs qui ont
cherché à transformer les objectifs des directions clefs de
ministères comme ceux de l'Agriculture, du Travail ou de
la Santé[1], ou qui ont voulu réformer complètement un
ministère comme celui de l'Equipement. C'est de la capacité
de ceux-ci d'instaurer de nouvelles règles du jeu dans les
rapports centrales-services extérieurs que vont dépendre
leurs chances de réussite. Le problème est d'autant plus difficile qu'il est lié à celui des corps et des carrières. A distance
et jusqu'à présent, les expériences effectuées peuvent paraître décevantes. Elles sont toutefois passionnantes pour le
sociologue, dans la mesure où, d'une part, elles révèlent les
données fondamentales de la résistance au changement et
contribuent, d'autre part, à transformer les attitudes des
fonctionnaires intéressés, préparant ainsi la réussite d'apprentissages ultérieurs.

Le problème des difficultés de communications entre féodalités administratives constitue le second obstacle contre
lequel se brise généralement toute velléité de changement à
l'intérieur du système traditionnel. Chaque pyramide administrative se trouve fermée sur elle-même, et tout aussi incapable de communiquer avec les autres pyramides qu'avec
son environnement. La crainte des doubles emplois qui pourraient mettre en concurrence plusieurs pyramides fait encore
frémir d'indignation la plupart des fonctionnaires. Quantité
de fonctions nouvelles et même de techniques et de méthodes
ne peuvent se développer pour la seule raison qu'elles ne peuvent s'incarner dans une pyramide classique. Comme le progrès des idées et des moyens d'action se produit généralement de façon inattendue et aux frontières de plusieurs disciplines et de plusieurs modes de penser, en élaborant des
synthèses nouvelles à partir de modes d'action jugés jusqu'alors incompatibles, on conçoit quelle source de conservatisme peut constituer pour le système administratif fran-

---

1. Voir par exemple l'analyse de deux cas de ce genre par Jacques
Lautman et Jean-Claude Thœnig : « Conflits internes et unité d'action : le cas d'une administration centrale », *Sociologie du Travail*,
mars 1966.

çais cette difficulté de communications entre administrations, et en particulier cette imperméabilité des langages et des formes de raisonnement entre les grandes féodalités traditionnelles. On conçoit aussi le rôle novateur qu'a pu jouer à cet égard le Plan en créant un langage commun et des possibilités de raisonnements synthétiques.

A partir d'un certain niveau toutefois, ces progrès se heurtent à des difficultés qui tiennent à l'équilibre même du système. Corps et carrières se trouvent profondément engagés dans ce cloisonnement protecteur qui empêche toute communication. A partir du moment où l'on dépasse les effusions de la discussion intellectuelle, les tensions traditionnelles reprennent le dessus car, à travers elles, s'expriment les conflits d'attribution et les volontés d'avenir de chaque féodalité. Actuellement, c'est autour de l'introduction du nouveau langage de système économique que l'apprentissage de rapports nouveaux paraît le plus lourd de conséquence pour l'avenir et en même temps le plus fructueux à étudier.

Les chances de changement toutefois ne dépendent pas seulement de la force de résistance du système traditionnel dans des rapports-clefs comme les rapports centrales-services extérieurs et les rapports interadministrations, elles sont aussi fonction de la puissance et de la permanence de la source d'innovation intellectuelle. Si cette source n'existait pas, le système pourrait se dégrader, des palliatifs temporaires pourraient surgir pour faire face aux difficultés successives que cette dégradation entraînerait sans que l'équilibre général en soit vraiment atteint, les exceptions ne faisant jamais que renforcer les règles. Mais l'existence de sources de rénovation rend possible de poser les problèmes à l'avance, peut transformer les fatalités en expériences et mettre les responsables à tous les niveaux en situation d'apprentissage.

Ces sources sont-elles suffisantes ? Ne risquent-elles pas de se tarir ou de se corrompre ? Tel est le troisième problème qui nous semble devoir retenir l'attention. L'existence de telles sources est liée à des situations sociologiques, et en particulier à la constitution et au maintien d'un milieu propice à l'innovation. Ce milieu en France est beaucoup trop étroit : il tend constamment à s'institutionaliser et à se fermer en se fondant dans le milieu des grands corps. Ses expériences d'autre part risquent de l'entraîner dans un sens technocratique. Les privilèges qu'il acquiert naturellement du fait des traditions du système lui rendent plus difficile l'expérimentation et l'engagement. La recherche technocratique de critères rationnels de décision en dehors de tout contact constitue, pour ses membres, une tentation permanente, car elle leur permet d'éviter les obstacles et de rejeter sur autrui la faute d'éventuels échecs. Beaucoup de novateurs nouveau style rejoignent ainsi à travers l'illusion technocratique la tradition aristocratique et finalement conservatrice du réformateur autoritaire contre lequel le système est parfaitement bien préparé à résister.

Le dernier problème qu'il nous semble indispensable d'explorer concerne la transformation des rapports entre système administratif et système politique. Ces rapports sont des rapports traditionnellement ambigus. D'une part, en effet, le système politique anarchique, instable, personnalisé à l'extrême, paraît s'opposer profondément à l'autoritarisme impersonnel et à la stabilité inébranlable de l'Administration. Mais, d'autre part, les deux systèmes vivent en étroite symbiose : ils s'appuient l'un sur l'autre dans une sorte de complicité à demi consciente. L'autoritarisme aveugle de l'Administration constitue l'armature protectrice indispensable à l'abri de laquelle le système politique peut donner libre cours à ses tendances démagogiques, tandis que l'irresponsabilité du système politique, son incapacité à dégager des compromis constructifs, exigent et justifient le recours au système administratif, seul dépositaire possible de l'intérêt général .

1. Cf. l'article de Jean-Pierre Worms : « Le préfet et ses notables », qui analyse parfaitement cette complicité et cette symbiose dans une de ses manifestations les plus exemplaires au niveau local. *L'Administration face au changement,* numéro spécial de *Sociologie du Travail,* mars 1966.

Les rapports de complicité et de symbiose que masquent et que nourrissent en même temps des antagonismes parfois violents entre le secteur public et le secteur privé, entre Paris et la province, entre les élus et l'Administratoin, ont une importance capitale, car c'est grâce à eux et à travers eux que se maintient l'équilibre fondamental entre le système administratif et la société tout entière. La stabilité du système administratif français, sa capacité de façonner son propre environnement, son emprise sur la société française, dépendent à la fois de ces antagonismes et de cette complicité.

De tels rapports sont-ils prêts à évoluer ? Il est facile de découvrir derrière la fiction du pouvoir fort la même dualité traditionnelle entre la règle et l'anarchie. Si l'accent est mis actuellement sur le pôle administratif, il ne s'agit que d'un retour après tout traditionnel du balancier. Mais on peut noter en contrepartie que le système a été soumis à de très fortes tensions et que l'avènement de la Ve République, s'il paraît consolider le système administratif, le rend en même temps beaucoup plus vulnérable parce qu'il rend sa responsabilité publique et le dépouille de l'écran si heureusement opaque du jeu politique.

Le problème est actuellement en pleine transformation, non seulement au niveau national, mais aussi et surtout peut-être à ce niveau local qui sous-tend et conditionne le niveau national. La création des nouvelles institutions régionales a en effet transformé certaines des conditions du jeu entre l'Administration, les notables et les intérêts qu'ils représentent. En imposant une certaine publicité à ces décisions traditionnellement protégées par le secret bureaucratique, en introduisant des préoccupations nouvelles de rationalité, en offrant de nouvelles formes de coopération, elle tend à fausser le jeu traditionnel. Certes, le vieil équilibre semble capable de résister, c'est lui qui détermine encore les comportements-clefs, mais déjà tout de même des processus d'apprentissage nouveaux sont apparus. Leurs résultats sont encore minces, quand ils ne sont pas de véritables échecs. Mais le problème se trouve désormais posé et peut-être les vicissitudes actuelles peuvent-elles être considérées comme les premiers essais d'une longue série d'essais-erreurs, à travers lesquels une mutation plus profonde est en train de s'opérer.

CHAPITRE VI

DE L'ÉPUISEMENT DU STYLE FRANÇAIS D'ACTION

On a généralement l'habitude de raisonner sur l'évolution d'une société uniquement à partir de l'analyse des perspectives démographiques et économiques que l'on peut dégager pour elle. Ces perspectives tracent effectivement un cadre commode pour discuter des transformations possibles des structures, des mentalités et des problèmes que pourra poser leur adaptation à une évolution qui apparaît ainsi « naturelle ».

Mais ce cadre est finalement trop commode et l'on risque fort, si on s'y arrête, de se laisser aller à prendre pour des causes ce qui n'est finalement que condition et modalité du développement. On risque encore plus peut-être d'ignorer les difficultés humaines et sociales les plus graves que toute société ne manque pas de rencontrer au cours de son évolution. De telles difficultés ne tiennent pas seulement, en effet, à des problèmes psychologiques de résistance et d'adaptation, mais à des problèmes sociologiques plus larges : la transformation du mécanisme des rapports humains, des modes d'organisation et du fonctionnement même du système social.

Une société ne peut progresser que dans la mesure où elle est capable d'inventer un style d'action nouveau qui lui permette de se saisir *activement* des chances que lui offre le développement technique et économique général. Plus concrètement, son succès dépend de la capacité qu'ont développée ses membres de coopérer efficacement et avec moins de détours, de créer et de maintenir des organisations plus complexes qui ne soient pas pourtant paralysées par leur propre poids et de rendre l'ensemble du système social dont ils sont les acteurs plus souple et plus ouvert à l'innovation.

Certes, nos connaissances en la matière sont encore peu avancées. Nous commençons tout juste à appréhender les relations profondes entre style d'action, mode d'organisation et système social. Et c'est seulement de façon spéculative que nous pouvons poser le problème du changement d'un style d'action. Dans un domaine aussi complexe, il vaut mieux, toutefois, raisonner avec imprécision mais en prenant mesure de l'ensemble du problème, que de se croire autorisé à tirer des conclusions rigoureuses sur cet ensemble parce qu'on possède des données précises et quantifiées sur quelques-uns de ses éléments.

Aucun problème en conséquence ne me semble, tout compte fait, plus topique pour comprendre les chances de développement d'une société et pour apprécier raisonnablement les solutions qui s'offrent à elle, que celui des modes d'organisation et des styles d'action qui la caractérisent.

Ce problème devient particulièrement urgent pour nous, Français, dans la mesure où notre style d'action et notre mode d'organisation semblent désormais de moins en moins efficaces dans le monde moderne. Quoi que nous en pensions, nous ressentons tous un certain épuisement de notre style traditionnel. Pouvons-nous le renouveler ? Pouvons-nous nous renouveler ? Tel est le problème qui conditionne notre avenir en tant que société.

SIMILITUDES ET COMPLÉMENTARITÉS
DE LA SOCIÉTÉ FRANÇAISE

Le malaise est particulièrement aigu, nous venons de le constater, au sein de l'Administration dont les traditions et les principes déterminent malgré les très nombreuses modernisations de surface, un ensemble de pratiques complètement inadaptées aux besoins d'une société moderne.

Mais le cas de l'Administration n'est pas un cas isolé. Le style administratif n'est pas une exception, il est au cœur de la vie collective française. Les Français s'efforcent depuis longtemps de minimiser leurs problèmes en les mettant tous au compte d'une Administration qui devient trop facilement le bouc émissaire de toutes leurs difficultés. Comme l'image ubuesque qu'on s'est donnée de la réalité administrative rend toute réforme proprement inconcevable, l'indignation que l'on manifeste est d'autant moins efficace qu'elle est plus violente. Et l'on pourrait dire finalement que ces travers bureaucratiques que nous nous plaisons à dénoncer, constituent la part de nous-mêmes que nous livrons volontairement aux critiques pour mieux nous défendre contre toute intrusion d'autrui dans le for intérieur de nos habitudes les plus profondes.

En fait, le style administratif est au centre de tous les modèles d'action et d'organisation de la société française. Une minorité seulement de la société actuelle a beau y obéir directement, même les comportements et les pratiques qui en sont les plus éloignées révèlent après analyse et malgré les oppositions formelles, des mécanismes plus profonds semblables à ceux de l'Administration ou qui lui sont complémentaires.

C'est que dans toute la vie collective française, quelques traits culturels de base se manifestent dans les situations les plus différentes. Deux d'entre eux sont particulièrement décisifs du point de vue du style d'action :

— d'une part, la peur des relations face à face qui risquent d'entraîner des conflits ou des situations de dépendance et sont de toute manière une menace pour l'autonomie de l'individu ;

— d'autre part, une conception absolutiste de l'autorité sans laquelle on ne peut imaginer la réussite de la moindre action collective.

On voit la contradiction entre les deux tendances. Nous fuyons toute situation de dépendance pour nous-mêmes, mais ne pouvons concevoir une collectivité sans autorité forte. Nous sommes donc incapables de supporter l'autorité que nous jugeons pourtant indispensable.

Les contradictions, il est vrai, en matière de rapports humains, ne sont pas faites pour être résolues et ne sont même pas forcément cause d'échec. C'est autour d'elles ou pour leur faire face que s'élabore et se perpétue le style d'action ou le mode de direction caractéristique d'un ensemble humain.

Dans le cas français, c'est à la permanence de ces tendances contradictoires qu'est associée la survie d'un style « bureaucratique ». L'autorité absolue et arbitraire est maintenue dans son principe et comme dernier et rassurant recours, mais elle est rendue inoffensive par la centralisation qui l'éloigne et la stratification qui protège l'individu contre elle. Les relations face à face, les risques de dépendance et de conflits sont écartés, l'autonomie de l'individu sauvegardée sans que le désordre ou l'anarchie puissent se donner libre cours.

Le mode d'organisation et le style d'action « bureaucratique » ne rendent compte toutefois que d'une partie de la réalité. Malgré les incessantes améliorations qui lui sont apportées, le système en effet ne peut éliminer l'arbitraire. Des pouvoirs parallèles se développent, des privilèges s'établissent constamment à tous les interstices de la construction officielle.

A l'encontre de la loi bureaucratique formelle, le « système D » permet d'opérer tous les ajustements indispensables. Il en est la vivante, constante et indispensable antithèse au point qu'on pourrait se demander parfois si cet envers du décor n'en constitue pas la trame la plus intime.

C'est cette opposition que l'on retrouve en tout cas dans le modèle d'évolution propre à la société française et qui se caractérise essentiellement par la primauté du mécanisme de la crise.

La crise, comme moyen privilégié de changement, constitue en effet, à un deuxième niveau, le trait culturel essentiel qui conditionne le style d'action collective auquel sont attachés les Français. Dans la stratégie des relations humaines à laquelle nous sommes habitués, ce style se caractérise par une opposition profonde et constante entre le groupe et l'individu : le groupe est perçu et vécu comme un organe de défense et de protection dont l'action ne peut jamais être que négative et c'est à l'individu lui-même que revient le devoir de s'affirmer de façon novatrice.

L'affirmation individuelle créatrice est facilitée par la protection du groupe qui assure à l'individu une indépendance et une liberté psychologique totale, mais elle s'oppose naturellement au groupe dans la mesure où elle tend à déboucher sur une action constructive qui pourrait risquer de remettre en cause l'équilibre existant. L'individu, d'autre part, constamment témoin des conséquences défavorables du système trop rigide qu'impose la pression des divers groupes a toute liberté de critiquer une organisation dont les vices sont très apparents à son niveau. Le système toutefois peut supporter longtemps la multiplication de telles critiques car le même individu, novateur effervescent quand il parle dans l'abstrait en tant qu'individu (comme un intellectuel) redevient conservateur quand il agit en tant que membre d'un groupe.

L'alternance de longues périodes de routine et de courtes périodes de crise que l'on peut observer aussi bien dans l'histoire des institutions publiques que dans l'histoire des institutions et organisations privées, est la conséquence toute naturelle de ce mécanisme.

Mais on peut lui attribuer également le caractère totalitaire et radical que prend tout appel au changement et la permanence d'une tradition révolutionnaire qui rend la discussion et l'expérimentation impossible et impose obligatoirement le recours à une autorité supérieure ou la naissance à travers la crise d'une nouvelle autorité supérieure.

Ainsi condensé, ce schéma d'analyse, il n'est pas besoin de le souligner, ne peut être utilisé que comme une caricature qui met en valeur, par son outrance même, certains traits profonds qui ne pourraient être perçus autrement. Il ne rend compte évidemment que de certaines tendances latentes de la société française et de certains mécanismes particuliers de blocage. Ces mécanismes néanmoins sont bien réels et leurs conséquences ne doivent pas être sous-estimées.

Un très grand nombre des difficultés qui paralysent la vie collective en France leur sont associées :

— par exemple la très grande difficulté, que remarquait déjà Tocqueville, à lancer une action coopérative, un groupe ou une association qui soient vivants et constructifs — les rassemblements collectifs ne sont jamais que des organes de défense ;

— l'incapacité de gérer les conflits de façon évolutive et dynamique qui caractérise la plupart des institutions ou des groupes : ou bien on étouffe les conflits ou bien on se laisse déborder par eux jusqu'à l'explosion ;

— la répugnance générale aussi bien dans les entreprises que dans les administrations à admettre la réalité des faits en matière de rapports humains ; aucune société ne pourrait subsister dans la clarté totale, mais c'est un trait de la société française moderne que cette confusion savamment entretenue sur les responsabilités ;

— la très grande difficulté que l'on rencontre dans tous les domaines à créer des organisations souples, capables de s'adapter rapidement et d'innover ; quelles que soient les intentions on a énormément de mal une fois l'impulsion initiale disparue à ne pas retomber dans les rigidités complémentaires du modèle bureaucratique ou du modèle paternaliste ;

— le maintien et le développement d'un très stérile et, d'une certaine façon, faux conflit entre le public et le privé ; c'est l'autorité publique qui se réserve toujours le droit d'orienter des activités privées qu'elle suspecte à priori ; les responsables de ces activités s'insurgent contre le contrôle étatique, mais ne manquent pas de tirer constamment parti des possibilités de monopole ou de restriction de concurrence qu'offre un tel contrôle ; ils font payer très cher à la collectivité les privilèges que l'Etat est bien obligé de leur reconnaître et le faux conflit d'un dirigisme toujours aveugle et d'une libre entreprise très peu entreprenante sert avant tout à maintenir le statu quo ;

— l'isolement des secteurs d'activités, des fonctions, des castes, des milieux et des diverses familles d'esprit dans autant de corporations fermées qui rendent ces ensembles humains à la fois rigides, fragiles et inefficaces ; négociations et échanges ne pouvant se faire qu'au sommet, la méfiance paralyse toute action novatrice ; le monde ouvrier, le monde paysan, le monde des petits commerçants sont bloqués dans leur possible évolution par cette paralysie institutionnelle ; les leaders ne peuvent faire de compromis, surveillés qu'ils sont par des militants qui se sont instaurés les gardiens de l'idéologie que sécrète un isolement qu'elle justifie ; la stérilisation de toutes les activités collectives dans l'enlisement naturel de la centralisation étatique ; et l'incapacité très grande de l'ensemble social à effectuer des compromis intégrateurs sauf tout au sommet et de façon très formelle, qui rend la vie publique congestionnée au sommet et exsangue à la base.

Certes toutes les sociétés ont leurs rigidités et leurs cercles vicieux. Ces traits de comportement récurrents que l'on rencontre dans la société française, certains depuis l'Ancien Régime, ont des contreparties dans chacune des sociétés européennes. Et la société américaine, si elle est plus souple, plus capable de communication et plus apte au développement, n'en est pas non plus exempte. Tout au plus peut-on affirmer que ces problèmes sont beaucoup plus aigus et de ce fait apparaissent plus clairement dans la société française contemporaine dans la mesure où cette société a souffert plus longtemps d'une stagnation qui était due peut-être à la perfection relative du modèle de civilisation qu'elle avait réussi à élaborer.

De toute façon le modèle de protection bureaucratique et de changement par crise qui la caractérise encore s'avère désormais de plus en plus coûteux et inefficace.

Dans l'ordre économique, il rend difficile la concentration des unités de production sauf dans les secteurs qui peuvent être facilement standardisés ; il ralentit l'adaptation des entreprises à un environnement qui change de plus en plus rapidement ; il avantage toujours les activités et les fortunes bien établies aux dépens des gens nouveaux et des innovateurs. Certes, la société française a réussi à maintenir le niveau de vie de ses membres à parité avec celui des grandes nations européennes concurrentes sans effectuer de changement décisif dans son système d'organisation et dans son style d'action. Ce tour de force a été obtenu en poussant à l'extrême la centralisation administrative et le protectionnisme social et économique. Mais il a été payé très cher par une perte de substance de l'ensemble français qui a été réduit de moitié par rapport à l'Allemagne ou à l'Angleterre [1] et par le développement d'un retard en capacité « organisationnelle » de plus en plus difficile à combler.

Dans l'ordre social, il favorise les activités conservatrices et pénalise durement toute tentative d'ouverture et toute prise de responsabilité.

Dans l'ordre intellectuel, s'il protège l'effervescence créatrice intellectuelle, c'est aux dépens de l'expérimentation qui est pourtant devenue depuis longtemps la forme privilégiée du développement scientifique [2].

---

1. Chacun des Français a accru son niveau de vie autant que ses voisins anglais ou allemand, mais cette performance s'est accomplie avec une population stagnante, alors que les pays voisins doublaient de population en cent ans.
2. Le recul relatif de la science française n'est pas dû à une infériorité intellectuelle, mais à l'incapacité du milieu scientifique français à surmonter son étroitesse, à briser ses structures bureaucratiques et corporatives.

Dans l'ordre politique enfin, un tel modèle tend à étouffer les vrais conflits et à figer le jeu politique dans de faux conflits à travers lesquels aucune innovation, aucun progrès institutionnel ne peut se réaliser.

LES LEÇONS DE L'ÉVOLUTION RÉCENTE

Si la société française est effectivement bloquée, comme nous avons essayé de le montrer, dans des formes d'organisation et dans un style d'action qui ne lui permettent pas de tirer partir des chances qu'offre le développement technique et économique général, est-il possible qu'elle change et comment peut-elle changer ? Telles sont les deux questions que l'on ne peut manquer désormais de se poser.

Le changement en effet n'est pas inéluctable. Il n'y a pas de réponse automatique des hommes à l'évolution de la technologie. Des conditions nouvelles n'entraînent pas obligatoirement le passage à des formes d'organisation mieux adaptées. Nous avons dans l'histoire d'innombrables exemples de groupes et de sociétés se figeant pour longtemps dans un modèle beaucoup moins efficace mais qui leur permet de maintenir une tradition et une identité auxquelles ils tiennent.

Mais même si l'on écarte, pour la société française, l'hypothèse de l'autarcie des structures et des modèles de comportement et du déclin qui ne manquerait pas de l'accompagner, on peut concevoir deux types de changement : l'adoption passive d'éléments de modèles étrangers, en particulier américains ; l'élaboration active d'un modèle nouveau à travers des expériences réussies et des échecs.

Pour bien comprendre les possibilités réelles qui s'offrent dans ces perspectives, le premier travail préalable consisterait à tirer sérieusement la leçon des changements survenus dans les vingt-cinq dernières années.

Cette période a connu en effet quantité de transformations

qui auraient paru peu vraisemblables avant la guerre. Nous sommes passés d'une économie de stagnation à une économie de croissance ; les comportements des entrepreneurs et de l'Administration ont changé ; l'économie a pris le pas sur le politique ; les préoccupations idéologiques ont fortement diminué ; les réactions chauvines et nationalistes traditionnelles se sont progressivement effacées et des comportements aussi profonds que le malthusianisme démographique ont paru renversés.

La crise du mois de mai 1968 a montré toutefois les limites de ces nouveautés. Le développement économique est apparu tout d'un coup très vulnérable ; le retour violent des passions idéologiques a renversé la tendance au réformisme et à « l'économisme ». La nouvelle mode de la jeunesse semble devoir la ramener et nous ramener avec elle à l'âge préindustriel des débats religieux.

Et pourtant d'une façon ambiguë mais très profonde, l'explosion du mois de mai a été aussi une révolte contre le mode d'organisation bureaucratique et les aspects autoritaires du style à la française.

Une analyse plus intense des processus de changement déjà engagés est donc indispensable si l'on veut faire le point de façon empirique et ne pas se contenter des déclarations des acteurs ou des calculs des statisticiens.

De cette analyse, nous ne disposons pas encore car la connaissance que la société française a d'elle-même reste très limitée. Mais nous pouvons au moins réfléchir sur les signes de changement qui apparaissent en matière de communication, de leadership, de formes d'action et d'organisation.

Ce qui frappe dans ces domaines, c'est l'apparition de formes d'action collectives plus constructives dont beaucoup des manifestations ont été tout à fait inattendues.

Prenons l'exemple du monde rural. On pouvait, à la Libération, prévoir l'accélération de l'exode rural, mais personne n'aurait songé à suggérer que le milieu paysan français pouvait répondre à cette pression naturelle autrement que par une résistance passive et de sporadiques agitations.

Nous sommes surtout sensibles maintenant au maintien d'attitudes et de comportements qui paraissent irresponsables : la démagogie des lobbies agricoles, l'écho des jacqueries d'autrefois dans les barrages de routes et les assauts de sous-préfectures. Mais si l'on prend du recul et si on se livre à une comparaison sérieuse entre les formes d'action collective actuelles et celles qui prévalaient avant la guerre, on découvre que l'ensemble du monde rural a effectué une mutation considérable.

La réponse globale du milieu a été profondément marquée par l'apparition d'actions collectives de plus longue haleine, impliquant l'affirmation de leaders et de militants responsables et se proposant certains objectifs constructifs : formation technique et économique, recherche et expérimentation sur le plan technique et commercial, réflexion sur les structures du milieu. Ces activités n'ont pu se développer qu'à travers une action collective considérable mobilisant quelques milliers de personnes et touchant directement et indirectement des centaines de milliers d'autres.

Un tel réveil de la masse paysanne était difficile à prévoir et personne ne l'avait effectivement prévu ; des groupes sociaux qui ne s'étaient jamais sentis et perçus que de façon passive ou au moins défensive ont cherché tout d'un coup à prendre en main leur destin ; cet effort ne s'est pas exercé sans une forte dose de romantisme et d'illusion. Mais au niveau de la base même les innombrables réunions et rencontres à travers lesquelles les jeunes agriculteurs ont cherché à connaître leur environnement et à le maîtriser ont signifié l'apparition d'un style d'action nouveau. Car derrière l'effort d'éducation il y avait avant tout la rencontre de l'autre, l'apprentissage d'une action de promotion collective.

Certes, ce style d'action est impuissant à résoudre les problèmes techniques et économiques ; l'enthousiasme pour l'agriculture de groupe ne peut être que l'écume de ce mouvement dont l'impact économique et politique peut paraître douteux au moins dans un premier temps.

Il reste que le grand exode rural qui a rompu l'équilibre

de la société française et qui va continuer à le bouleverser jusqu'à la disparition complète de la paysannerie traditionnelle ne se sera pas effectué, dans de nombreuses régions au moins, dans le climat de désintégration que l'on aurait pu craindre et que l'apparition de ces ressources collectives nouvelles dans le milieu le plus conservateur de la société française offre une chance de développement considérable pour l'ensemble de cette société.

Les transformations parallèles du monde catholique peuvent être analysées dans la même perspective. Contrairement à ce qui s'était passé dans les décennies antérieures, ce ne sont plus les secteurs marginaux ou périphériques de la société française qui ont bougé dans les derniers vingt ans, mais les milieux les plus traditionnels, les pierres angulaires de l'ordre social.

Le monde catholique a profondément changé. Malgré les résistances politiques et les remous sociaux, ses assises se sont déplacées, essentiellement parce qu'un style d'action nouveau est apparu avec des modes de participation et de leadership différents.

Cette transformation a été plus ancienne et plus lente aussi que le réveil paysan dont elle est en partie la source, mais le sens n'en est pas différent. Le paternalisme d'autrefois n'a pas entièrement disparu, mais la capacité d'initiative et d'engagement, l'ouverture et le militantisme sont devenus tout à fait différents.

On n'en finirait pas de recenser les innombrables activités de groupe qui du point de vue de la forme d'action collective rompent, dans de nombreux secteurs, à la suite de ces mutations ou par contrecoup, avec les habitudes traditionnelles. Il est difficile d'en mesurer encore l'importance et les chances de développement, mais on peut affirmer que de leur réussite dépend en partie la possibilité de transformation des règles du jeu social et le passage de la société française à un style d'action plus efficace.

Ce changement de style des rapports humains s'accompagne d'une ouverture beaucoup plus grande aux contacts et aux échanges entre groupes. Le cloisonnement des professions, des partis et des familles spirituelles semble reculer. On peut se moquer de l'engouement subit des milieux les plus divers pour le *dialogue* et la *communication*. Leurs professions de foi sont trop souvent uniquement verbales et nous manquons des moyens de mesurer les progrès accomplis. Nous pouvons seulement constater des échecs comme celui des tentatives de regroupement politique. Il reste que l'origine religieuse a cessé d'être un clivage pertinent, que les appartenances politiques ne suscitent plus des oppositions viscérales et que l'hostilité entre le secteur public et le secteur privé a beaucoup diminué.

Lentement la société française abandonne les guerres de religion qui constituaient un des fondements de son système de gouvernement et une des justifications de l'ordre bureaucratique.

Le succès de modes d'organisation nouveaux apparaît naturellement beaucoup plus localisé. Nous abordons en effet le niveau le plus élaboré du changement qui implique une restructuration de l'ensemble des rapports humains au sein d'une unité d'organisation. Pour ceux qui adoptent une conception fonctionnaliste stricte des phénomènes sociaux, le changement des modes d'organisation ne peut être envisagé que comme une conséquence. On n'arrive pas à le concevoir comme un moteur. De nouveaux modes d'organisation ne peuvent apparaître que dans la mesure où les valeurs de la société ont changé. Je ne partage pas ce point de vue. Je pense au contraire que le changement ne peut s'opérer seulement au niveau des valeurs ; il n'est possible que s'il peut y avoir invention, novation au niveau de la praxis pour faire face à une situation critique. Certes ces inventions, ces novations ne peuvent se produire que dans des limites conditionnées par l'existence d'un système de valeurs. Mais le système de valeurs à son tour peut être modifié par les transformations des modes d'organisation et des styles d'action. Le succès pratique de modes d'organisation nouveaux peut avoir, de ce fait, des conséquences d'ordre général. Les groupes humains peuvent tirer la leçon des expériences naturelles que peut, pour eux, constituer l'action. Encore faut-il que la rigidité du système social s'en accommode.

De ce point de vue, des transformations importantes sont apparues. Le secteur privé peut rester dominé dans la masse de ses effectifs par des modes d'organisation traditionnels soit paternalistes, soit bureaucratiques. Il n'en paraît pas moins désormais ouvert à l'expérimentation et capable d'accepter des exemples de réussite dans des domaines comme celui-là. La diffusion des idées américaines en matière d'organisation est certainement confuse. Les emprunts que l'on fait au modèle sont souvent incohérents. Mais un ton nouveau est apparu nettement plus ouvert aux innovations organisationnelles. Les cabinets d'organisation abandonnent progressivement les illusions rigoureuses de Fayol et de Bedeaux. Les praticiens sont désormais bien en avance sur une éducation restée traditionnelle. Le prestige de la Harvard Business School commence à l'emporter sur celui de Polytechnique. Même si les emprunts trop littéraux et mal compris sont plus nombreux que les exemples d'élaboration active empirique de modes d'organisation répondant aux problèmes effectivement posés, un mouvement concret a été lancé dont les protagonistes sont capables de tirer la leçon.

LES POSSIBILITÉS DE L'APPRENTISSAGE INSTITUTIONNEL

A l'exposé de chacun de ces développements on peut répondre par des remarques pessimistes sur les résistances du milieu et sur la portée limitée des exemples véritablement réussis. Vues dans la perspective de la concurrence internationale, les entreprises françaises peuvent apparaître très handicapées par un retard dont elles ne comprennent encore que rarement les causes organisationnelles. Mais les mêmes développements semblent au contraire prometteurs si on les considère comme les premières étapes d'un apprentissage de formes nouvelles d'organisation.

Le changement lui-même, tel du moins qu'on peut l'observer, apparaît généralement ambivalent, car il utilise souvent des mécanismes traditionnels dont on ne peut juger facilement s'il les renforce ou s'il les dépasse. C'est au moment même où les agriculteurs deviennent enfin actifs et s'engagent dans des voies constructives que les barrages sur les routes se multiplient et que la défense traditionnelle des intérêts revêt son caractère démagogique le plus accusé. La planification a pu servir naturellement d'instrument de progrès dans le monde patronal qu'elle a obligé à faire face à ses responsabilités collectives et qu'elle a habitué à s'adapter à un type nouveau de rationalité, mais elle a emprunté les voies traditionnelles de la collusion des intérêts et a renforcé les vieux rêves dirigistes dont elle a prolongé l'emprise.

˗ Essayons de prendre le problème par l'autre bout. Au lieu de nous efforcer de discerner le sens de l'évolution et d'apprécier chaque nouveau développement en fonction de la tendance que nous jugeons la plus « progressive », demandons-nous quel est le problème que pose à la société française l'élaboration d'un style d'action et d'un mode d'organisation plus efficace.

Ce problème est un problème d'apprentissage au sens que les psychologues ont commencé à donner à ce terme dans la perspective expérimentale. Il s'agit de savoir comment un comportement nouveau qui constitue une réponse satisfaisante au problème posé au sujet de l'expérimentation peut finalement se fixer chez celui-ci. Le processus d'apprentissage ainsi conçu n'est pas un processus passif de mise au moule, comme quand on se propose de faire « apprendre » dans le système d'éducation traditionnel, c'est un processus inventif et innovateur. Un groupe humain, une organisation, très évidemment ne peuvent apprendre comme apprend un individu. Mais si la psychologie a fait de grands progrès à partir du moment où elle a accepté de raisonner en termes d'apprentissage, la sociologie pourrait gagner elle aussi beaucoup si elle se mettait à étudier les processus de changement dans une perspective analogue, c'est-à-dire en mettant l'accent non plus sur la finalité ou les motivations du changement, mais sur les conditions de restructuration d'un système complexe en fonction à la fois des problèmes de survie qui lui sont posés et des sanctions favorables ou défavorables qu'il reçoit de l'environnement.

De ce point de vue on peut dire qu'au niveau d'un ensemble comme la société française, la capacité d'intégration est trop faible, la possibilité de mesurer les résultats et de percevoir les réactions de l'environnement beaucoup trop confuse pour que des processus d'apprentissage tant soit peu différenciés puissent se développer. C'est au niveau des structures intermédiaires qu'une société aussi complexe peut effectivement apprendre. Mais la capacité d'apprentissage de la société française dans cette perspective est relativement limitée du fait de l'absence relative d'autonomie non seulement des unités politiques et administratives territoriales, mais aussi de très nombreuses unités économiques.

Toutes sortes de pression en fait s'exercent dans l'ensemble français actuel pour restreindre les possibilités d'expérience réelles des groupes et des organisations de base.

Dans le secteur administratif, dans le secteur de l'éducation, il s'agit presque d'interdictions ; dans le secteur politique, il s'agit des contraintes d'un jeu tellement serré qu'aucun risque ne peut jamais être pris ; dans le secteur des entreprises on peut beaucoup plus facilement expérimenter, mais tant de facteurs doivent être considérés comme des contraintes — caractère restrictif du crédit bancaire, marchés protégés, rigidité de l'emploi, absence de marché des cadres supérieurs — que l'innovation apparaît souvent comme un risque dangereux.

De façon très générale, le système social français apparaît encore comme un système stratifié, hiérarchisé et compartimenté dont les flux sont suffisamment contrôlés pour que toute innovation qui risquerait de bouleverser l'ordre et l'équilibre d'ensemble soit pénalisée.

La très faible capacité d'apprentissage de l'ensemble vient du jeu de défense et de prudence qu'il impose à la majorité de ses unités opérationnelles qui sont seules à pouvoir assurer les innovations.

Si l'on cherche à comprendre comment ces contraintes sont établies, trois grands systèmes de contrôle se dessinent :

— *le système administratif* qui contrôle étroitement toutes les activités collectives publiques dont l'importance croît de plus en plus comme facteur de développement et qui influe considérablement, directement ou indirectement, sur la plus grande partie du secteur économique privé ;

— *le système d'éducation* qui contrôle pour une bonne part tous les mécanismes de sélection sur lesquels est fondé le jeu de la promotion et de la réussite et qui constitue de ce fait un élément indispensable du système de stratification, de hiérarchie et de cloisonnement ;

— *le système politique* enfin qui se réserve tout au sommet le monopole de l'intégration des activités collectives et interdit de ce fait, en symbiose avec le système administratif, que toute autre activité intégratrice puisse être assurée à un échelon intermédiaire ; ce qui dépouille de toute vitalité les unités où l'innovation pourrait être assurée ou promue.

Certes on expérimente constamment dans la société française. Mais chacun garde jalousement les secrets de ses expériences car le jeu qu'on joue est un jeu de secret et de défense.

Certaines circonstances, certains mouvements irrésistibles favorisent des apprentissages coopératifs dont la rapidité alors étonne ; mais cela risque d'être trop tard ou insuffisant devant des problèmes dont l'ampleur ou l'urgence ont pu déclencher un pareil mouvement. Rarement, d'autre part, une masse critique suffisante peut être gagnée pour faire basculer des secteurs de blocage aussi importants que ceux qui sont très vite mis en cause.

Très vite alors les partenaires se découragent. Chacun

tire parti des progrès qu'il a réalisés à l'intérieur de son système. Les forces vives deviennent des notables, les leaders du renouveau s'installent corporatistes.

Les ruptures enfin quand elles surviennent créent l'affolement plutôt que le changement. Chacun s'enferme dans son idéal de cogestion. On préfère résoudre tous les problèmes dans l'absolu du rêve plutôt que de transformer les conditions réelles du jeu.

Les progrès accomplis sont-ils donc condamnés à être toujours perdus ? Certes le gaspillage d'énergie que l'on peut constater dans toutes ces situations de changement est tout à fait effrayant. Mais de problème en problème, une prise de conscience s'opère. L'élite française commence à reconnaître l'épuisement du style d'action qui reste le sien et auquel toute la société française a été conditionnée. La reconversion intellectuelle dans laquelle elle se débat est douloureuse, mais peut-être découvrira-t-on plus tard que c'est dans ces années de doute et d'épuisement qu'a commencé notre renouveau.

CHAPITRE VII

DE L'EFFONDREMENT DE L'UNIVERSITÉ

La critique de l'Université « napoléonienne » est devenue, depuis l'effondrement du mois de mai, un véritable lieu commun auquel tout un chacun, commentateur, journaliste ou député ne doit plus manquer désormais de se référer. Est-il donc nécessaire de répéter une fois de plus que, dans la galerie de monstres bureaucratiques dont s'honore notre vieux pays de douaniers et de comptables, le spécimen le plus caricatural était son université ?

Oui, malheureusement, car malgré la loi d'orientation, le système universitaire français reste bureaucratique et ne pouvait manquer de le rester.

Si l'on veut comprendre la portée de la crise, mesurer la capacité de résistance d'un passé que quelques Nuits du Quatre-Août universitaires n'ont pas autant ébranlé qu'on le croit, si l'on veut discuter sérieusement de ses possibilités de changement, il est donc indispensable de reprendre brièvement au moins une analyse qui est restée généralement superficielle.

« L'étouffante centralisation napoléonienne » en effet n'est pas une caractéristique greffée par malchance ou machiavélisme sur un organisme sain ; elle est consubstantielle à cet organisme ; elle en exprime la philosophie et le mode d'être. L'éliminer radicalement, ou même créer simplement les conditions nécessaires pour qu'elle s'atténue, demanderait que l'on agisse sur ses ressorts profonds, et pour cela qu'on cherche d'abord à les connaître.

LE SYSTÈME UNIVERSITAIRE FRANÇAIS

La caractéristique essentielle du système universitaire français — et ce qui fait la raison même de sa solidarité — c'est qu'il a développé autour de son armature institutionnelle un style intellectuel, ou, si l'on veut, un mode de raisonnement, un type d'enseignement, ou de relations humaines, et un mode de relations avec le reste de la société, qui le renforcent et le soutiennent. Chacun de ces éléments a sa logique, qui le rend déjà extrêmement résistant par lui-même, mais il est aussi profondément interdépendant de tous les autres éléments et leur combinaison donne à son armature institutionnelle des assises à première vue inébranlables.

Le monopole est la loi première du système. Celui-ci ne tolère pas la moindre concurrence ; il ne doit y avoir qu'une université, qu'une faculté, qu'une école par ressort géographique ; à la limite, on concevrait volontiers qu'il n'y ait jamais qu'un professeur par discipline ou sous-discipline en un lieu déterminé. Le monopole entraîne le cours obligatoire, l'audience captive et le refus de toute ingérence d'une autorité ou d'une influence extérieure quelconque dans la gestion de l'université.

La centralisation est la contrepartie naturelle presque inéluctable du monopole. Certes, la constitution de cette immense armée dont toutes les unités sont égales et dépendent également du sommet paraît tout à fait absurde. Mais c'est tout de même la moins mauvaise solution pour maintenir un minimum d'efficacité et de cohésion dans un ensemble que l'isolement du monde extérieur et l'absence de concurrence interne rendent nécessairement conservateur. De fait, c'est plutôt autour du sommet que se regroupent les novateurs et la conséquence de leur action aboutit généralement à un surcroît de centralisation.

Le style intellectuel qui est très profondément lié à ce modèle d'organisation joue un rôle considérable dans son renforcement. Clarté, stabilité, rigueur formelle, caractère abstrait et déductif du mode de raisonnement, toutes ces qualités *bien françaises* sont des expressions du mode d'organisation en même temps que des conditions de son maintien. La centralisation requiert un univers uniforme et standardisé ; le formalisme est nécessaire à l'ordre bureaucratique, le mode de raisonnement abstrait et déductif assure la protection contre le monde extérieur.

Le type d'enseignement est fondé sur la distance entre le maître et l'élève, le grand pouvoir intellectuel du professeur qui détient la vérité (conséquence et condition du mode de raisonnement déductif). Les réactions négatives qu'il entraîne (contestation et chahut) renforcent le besoin de distance et de protection des enseignants et des enseignés. Le cours magistral est le symbole de cette relation en même temps que l'expression du style intellectuel et une pièce essentielle du mode d'organisation. Il crée chez les étudiants un cercle vicieux de passivité et d'opposition.

Le mode de relations avec le reste de la société est fondé sur la primauté absolue donnée à la sélection comme fonction première de l'éducation. La société française est encore une société *ascriptive* [1] où les examens et les concours jouent le rôle du droit de naissance. Il a pour mission sociale de réaliser ce tour de force qui consiste à maintenir la hiérarchie sociale traditionnelle tout en assurant l'égalité de tous devant l'éducation et en donnant la formation indispensable à l'exercice des professions les plus prestigieuses socialement.

La primauté de la fonction de sélection assure le pouvoir du système et de ses membres au sein de la société, et c'est autour de cette fonction que se sont développés les mécanismes de pouvoir qui constituent l'appareil de régulation

---

1. C'est-à-dire une société dans laquelle chacun se voit attribuer une place et une fonction, non pas en fonction de ce qu'il a accompli ou semble capable d'accomplir, mais en fonction de son statut et de son rang d'origine.

conscient du système. Les fonctions d'apprentissage en conséquence sont naturellement dévalorisées, la recherche de contacts avec l'extérieur proscrite et les programmes abstraits et les méthodes déductives justifiés. L'Université et la société vivent naturellement en symbiose. Mais elles peuvent le faire dans un échange incessant et fécond ou dans un isolement relatif et stérile. Les mécanismes de cette symbiose à la française ont pour fonction de permettre à l'ensemble universitaire de s'isoler de la société et de lui imposer en partie ses normes.

La conséquence d'un tel système, c'est qu'il constitue un bloc imperméable au changement. L'Université ainsi isolée est aveugle. Elle ne peut ni s'adapter aux nouvelles demandes de l'environnement, ni même les apercevoir. Changer les programmes met en effet en cause les débouchés et le pouvoir des corps enseignants. Changer les méthodes et les rapports humains déséquilibrerait l'organisation et tout changement d'organisation est bloqué par l'opposition des enseignants et la lutte des différents corps qui se partagent le pouvoir.

LES MÉCANISMES DE LA CRISE

Si la crise de mai a été totale, si elle a pu tout remettre en cause à la fois avec une brutalité aussi soudaine qu'inattendue, aussi bien le cours magistral et les relations humaines que le contenu du message culturel, le système d'organisation et le mode de sélection, c'est qu'effectivement, dans un ensemble dont tous les éléments sont aussi profondément interdépendants, rien ne peut être vraiment changé que si tout change à la fois. Par son caractère totalement intégré, le système appelle forcément une contestation totale. Le recours à l'idéologie millénariste et totalitaire est la conséquence naturelle de cette situation bien plus qu'elle n'en est la cause même si, au second degré, cette idéologie peut avoir elle aussi un rôle moteur.

Mais, en même temps, le caractère global de la contestation et l'outrance qu'elle se trouve conduite à adopter paralysent d'une certaine façon le mouvement de révolte et le rendent prisonnier du système dont il devient la caricature inversée.

On a pu trouver ainsi répété comme dans une expérience de laboratoire un des paradoxes du système bureaucratique que j'avais cru pouvoir dégager de mes études antérieures sur des organisations administratives françaises.

L'Université comme le système bureaucratique ne peut changer que par crise. La crise est une rupture temporaire de l'ordre bureaucratique, mais elle ne le détruit pas. C'est un simple entracte de guerre de mouvement entre de très longues périodes de guerres de tranchée, entracte au cours duquel l'effervescence créatrice et irresponsable des individus peut se donner libre cours tandis que les comportements négatifs et conservateurs des groupes et catégories hiérarchiques institutionnalisés disparaissent temporairement. Mais une fois que la période de fusion des structures a disparu, le besoin et la passion générale d'ordonner, de planifier et de régulariser toutes les situations, ramène très rapidement un nouvel ordre bureaucratique qui n'est qu'une transposition de l'ancien à un niveau d'adaptation plus adéquat aux demandes de l'environnement [1].

Jusqu'ici, les mécanismes mêmes de la crise de mai ont parfaitement répondu au schéma théorique. L'issue de la crise nous ramènera-t-elle finalement à un système qui ne différera du système ancien que par une meilleure adaptation aux besoins matériels nouveaux ? Telle serait naturellement la loi de l'univers bureaucratique et aucun réformateur ministre ou étudiant ne devrait en sous-estimer la pesanteur.

Mais même si une première année d'expérience semble confirmer cette logique, on peut tout de même se demander

---

1. Cf. *le Phénomène bureaucratique*, Ed. du Seuil, Paris, 1964, p. 359-366.

si une transformation plus profonde — de nature cette fois — de notre système universitaire, n'est pas en train de s'amorcer à travers ces expériences douloureuses.

Une telle transformation apparaît inéluctable à terme, du fait du divorce désormais flagrant entre le monde universitaire et la société et de la difficulté d'y remédier durablement sans mettre en cause le style d'action et le mode de gouvernement propres à l'université française.

Quatre problèmes de ce point de vue apparaissent capitaux, qui correspondent aux éléments secondaires du système que je viens sommairement de résumer :

— le problème du style de relations humaines propres à l'Université ;

— le problème de la culture générale ;

— le problème de la place dans la société des couches petites-bourgeoises nouvelles ;

— le problème de la sélection de l'élite et du maintien des castes supérieures.

LE PROBLÈME DES RELATIONS HUMAINES

C'est contre le style de relations humaines propre à l'Unisité traditionnelle que s'est affirmée le plus violemment la révolte du monde étudiant. L'hystérie collective indispensable au lancement du mouvement s'est déclenchée à travers des expériences de relations humaines radicalement nouvelles au moins pour les participants.

C'est là qu'il y a eu vraiment invention. Les enragés de Nanterre, qui se sont tout d'un coup découverts autour du prophète Cohn-Bendit, ont effectivement réussi à résoudre, au moins pour un instant dans le paroxysme de leur révolte, la quadrature du cercle de la démocratie directe : une foule où les individus s'expriment, une action sans organisation, la spontanéité permanente, ouverte et bon enfant.

Ce n'était possible, certes, que dans une sorte d'état

délirant semblable à ceux dans lesquels un malade résoud ses contradictions dans des actes somnambuliques. C'était d'autre part dangereux puisque ce mouvement de tolérance, visant à l'expression et au défoulement total, ne pouvait se maintenir que dans une exigence d'absolu imposant à tous une véritable terreur psychologique. Et, dans ce mouvement extrême, dans cet antidiscours, on retrouvait la même passion désespérée de parole totale et sans contradiction qui anime au fond la passion charismatique du discours magistral.

Y a-t-il eu tout de même, à travers ces expériences, une véritable novation ? Les rencontres et les conversions qui ont illuminé ces spectaculaires « prises de parole » auront-elles des suites concrètes ? Soyons prudents. Ce n'est pas la première fois que des révolutionnaires se tutoient avant d'installer le formalisme césarien.

J'ai tendance à penser toutefois que cet extraordinaire psychodrame aura contribué à faire évoluer, au niveau des réflexes humains immédiats, une masse qui attendait d'être délivrée d'un formalisme qui ne correspond plus à l'esprit du temps et, qu'après ce choc, le ronronnement magistral ne satisfera plus aussi facilement des esprits qui ne seront plus autant portés à la passivité. Des accommodements sont malheureusement faciles avec la tradition car, ce qui est recherché, c'est l'extase de la communion, l'harmonie de l'intégration et non pas la capacité de tolérer les conflits et d'affronter la vérité du face à face. Les sociologues qui ont critiqué les techniques de relations humaines le savent bien, ce domaine est celui de la manipulation et il n'est pas besoin de l'intervention du capitalisme monopoleur pour s'y enliser. Les changements qui se sont produits ou que l'on peut attendre encore ne sont donc pas forcément incompatibles avec l'ordre bureaucratique, ils peuvent même lui donner une nouvelle assise.

On peut se demander pourtant si un processus à long terme moins spectaculaire mais plus décisif n'a pas été effectivement engagé, qui dépasse l'Université et engage l'ensemble d'un monde intellectuel tourné vers la science et l'action dont l'importance va croissant.

Les relations traditionnelles constituaient un frein particulièrement gênant au développement de la recherche et des activités intellectuelles les plus novatrices car une des conditions essentielles de l'innovation dans le monde moderne, nous l'avons vu, c'est le développement, à côté de la créativité individuelle, d'un milieu coopératif de soutien qui seul peut rendre possible l'essai immédiat des idées et l'expérimentation des solutions qu'elles apportent.

La violence des réactions en chaîne provoquées dans ces secteurs d'activités par la révolte·étudiante a conduit à l'effondrement de certaines au moins des structures anciennes. Certes, la situation actuelle apparaît encore désastreuse, mais peut-être offre-t-elle enfin l'occasion d'un assainissement indispensable.

LE PROBLÈME DE LA CULTURE GÉNÉRALE

La culture désormais n'est plus un luxe inutile réservé à une minorité d'aristocrates privilégiés et à quelques créateurs marginaux. Elle est devenue de plus en plus un instrument essentiel d'action dans un monde rationalisé qui ne peut être dominé qu'à travers l'utilisation de modes de raisonnement qui nécessitent un apprentissage culturel.

Mais toutes les formes de culture n'ont pas les mêmes vertus éducatives. L'Université française s'est depuis beaucoup trop longtemps attardée dans une tradition de culture classique, rationaliste et humaniste qui, malgré le prestige qu'elle garde, est devenue complètement inadéquate pour le monde moderne. Il ne s'agit pas seulement du culte des humanités classiques, mais beaucoup plus généralement des modes de raisonnement diffusés aussi bien dans la culture juridique que dans la culture physico-mathématique ou dans la culture historique. Dans tous ces domaines domine toujours le rationalisme le plus étroit qui ne cède la place qu'à des rêves anticipateurs tellement vastes qu'ils sont acceptés comme des religions à embrasser et non pas comme des instruments d'apprentissage.

Les réformateurs modernistes français, généralement fascinés par les besoins immédiats, combattent souvent la culture classique, mais sans rien proposer à sa place. Ils n'ont pas encore découvert que la demande de culture générale est plus forte que jamais et que c'est justement à cause de cette demande que notre culture classique doit absolument être transformée. L'homme moderne a beaucoup plus besoin encore que celui d'autrefois de cet outil intellectuel qui demeure quand on a tout oublié et qui vous permet d'avoir prise sur le monde extérieur et d'utiliser de façon active et expérimentale toutes les connaissances que l'on peut acquérir par la suite.

Paradoxalement désormais les universités américaines offrent une formation de culture générale meilleure que ce temple du classicisme que représente encore la Sorbonne. Le dernier effort de modernisation, la loi Fouchet de triste mémoire, poussait la spécialisation étroite au point le plus extrême.

Pourquoi cette orientation rétrograde a-t-elle pu s'affirmer ? Essentiellement parce qu'elle permettait d'accroître l'indispensable mise à jour technique des enseignements que les progrès de la science bouleversent sans toucher au complexe traditionnel du lycée : littérature-mathématiques-philosophie [1], qui constitue notre base classique et autour duquel se sont retranchés tous les droits acquis des catégories universitaires dominantes [2].

La révolte de mai a exprimé dans un large mesure la révolte des étudiants pris dans ce dilemme impossible : culture classique formaliste ou spécialisation étroite. C'est ce qui explique l'incohérence de leurs revendications, les

---

1. Le triptyque d'Edgar Faure ne bouleverse ce modèle que de façon lyrique. La combinaison langage mathématique - langue française - langue étrangère peut demeurer tout aussi abstraite et formaliste que la combinaison classique.
2. Tant que le pouvoir universitaire reste centré sur les agrégations traditionnelles, il n'y a aucune chance pour que la culture classique soit renouvelée.

uns réclamant une formation plus concrète et plus professionnelle, les autres exigeant qu'on leur donne enfin une nourriture théorique digne de leurs capacités intellectuelles.

La volonté romantique de savoir et de révolution totale qui émergeait souvent constituait une solution naturelle de fuite bien compréhensible devant une telle contradiction. Mais en même temps elle en rendait impossible toute prise de conscience réaliste.

LE PROBLÈME DE LA PLACE DANS LA SOCIÉTÉ
DES COUCHES PETITES-BOURGEOISES NOUVELLES DE L'UNIVERSITÉ

La difficulté la plus grande pour sortir de ces contradictions me semble, tout compte fait, tenir à une autre dimension du problème, sa dimension de pouvoir et sa dimension sociale.

Pour que de nouvelles relations humaines puissent être expérimentées et graduellement diffusées, pour qu'un terrain favorable puisse être offert aux nombreux germes de nouvelle culture générale existant déjà, il faut qu'une jonction puisse se faire sur le terrain entre les élites novatrices de la société, les enseignants et les étudiants. Or cette jonction est extrêmement difficile parce que le système a radicalement séparé les divers groupes dont la collaboration est requise.

La révolte étudiante en effet n'est pas la révolte des catégories les plus avancées culturellement du monde étudiant. Elle est dans une large mesure une révolte petite-bourgeoise, la révolte des couches nouvelles auxquelles le développement de la société d'affluence a permis l'accès à la culture universitaire.

Le système universitaire et l'élite technocratique avaient en fait complètement ignoré l'afflux de cette énorme masse nouvelle parce que les seuls domaines vraiment importants pour eux, les Grandes Ecoles, la sélection des grands concours et le maintien des privilèges qui y sont attachés n'étaient absolument pas touchés par cette vague. L'*Establishment* français, au fond, n'a que faire des facultés, il a son recrutement et sa formation séparés. Si l'on ajoute que la recherche avait émigré à l'extérieur et que l'Université classique ne jouait pas le moindre rôle scientifique, sauf à travers l'activité de personnalités qui se trouvaient surtout engagées dans des instituts extérieurs, on conçoit que la dégradation du climat et de l'enseignement ait pu se poursuivre si longtemps.

La contestation devait se lever naturellement au sein de groupes qui découvrent péniblement qu'on s'est moqué d'eux et que l'éducation supérieure qui constituait leur promotion sociale[1] se réduit au passage dans une usine culturelle ne procurant que des connaissances disparates et n'offrant que des débouchés médiocres.

Tous les pays occidentaux connaissent ces problèmes. Mais aucun d'eux n'a organisé la sélection sociale de l'éducation de façon aussi sévère et aussi humiliante. Aucun d'eux n'a gâché avec autant d'indifférence autant de potentialités humaines. Aucun d'eux n'a masqué son conservatisme avec un égalitarisme aussi démagogique.

C'est cette situation qui a donné sa dimension sociale à la révolte étudiante et l'a fait retentir si profond au sein de la conscience française. Mais l'amalgame qui s'est créé à cette occasion entre la soif de nouveau et de changement et les revendications catégorielles du monde petit-bourgeois risque de peser beaucoup plus lourd du côté de l'enlisement bureaucratique que du côté du renouveau.

La pente naturelle consisterait en effet à donner satisfaction à ces couches nouvelles en les faisant entrer davantage dans l'ordre bureaucratique sans toucher pour autant aux piliers de l'ordre social : les Grandes Ecoles et les Grands Concours.

---

1. Les facultés recrutent en même temps tous les laissés pour compte de l'Establishment dont les frustrations d'avoir perdu leur chance dans le grand jeu de la méritocratie sont d'autant plus violentes qu'ils en connaissent mieux l'importance.

Puisque aucune mesure de sélection ne peut être introduite en faculté, alors qu'on se refuse au moindre assouplissement du système de sélection féroce des Grands Concours qui demeure désormais à peu près unique au monde[1], la distance ne peut désormais que s'accroître entre les parties nobles — l'étage direction — du système, gouvernées par le dur apprentisage de la course à la carrière d'une part, et l'immense cohue roturière, d'autre part — l'étage des cadres moyens que l'on abandonne au laisser-aller et au gaspillage. Les Grandes Ecoles vont donc continuer à apparaître comme absolument indispensables, malgré leur anachronisme, au maintien du minimum de compétence sans laquelle on ne peut remplir efficacement une fonction prestigieuse.

Si l'on accepte d'organiser les débouchés des couches petites-bourgeoises de l'Université, ce ne pourra être qu'à leur véritable place, c'est-à-dire à un niveau très inférieur ne permettant pas la moindre concurrence qui mettrait en cause les monopoles des castes traditionnelles.

Cette orientation qui est implicite dans la logique de l'application de la loi d'orientation, risque d'avoir des conséquences dangereuses, aussi bien pour l'Université que pour le système social.

La coupure va encore s'accroître entre une élite extrêmement restreinte et les couches moyennes sans l'aide desquelles celles-ci ne peuvent travailler efficacement, au moment même où l'élargissement des couches dirigeantes et la libéralisation du jeu social apparaissent comme une des conditions indispensables de la créativité d'une société.

Les couches moyennes de cadres et de techniciens d'autre part, qui deviennent désormais un milieu tout à fait névralgique dans une société en mouvement, frustrées de se trouver écartées du grand jeu des carrières, vont se replier dans les résistances et les récriminations bureaucratiques alour-

---

1. Personne ne semble s'inquiéter de cette paradoxale coexistence du système le plus élitiste avec le système le plus égalitaire.

dissant encore davantage un ensemble social à demi paralysé.

Enfin, l'ensemble universitaire sera incapable de développer une capacité de renouvellement et de réforme s'il ne
dispose ni de la pression de la concurrence — qui ne peut
pas plus s'exercer entre Grandes Ecoles hiérarchisées qu'entre Universités ou U.E.R. paralysées par l'absence de sélection — ni du levain de la recherche, ni de l'attrait de la
réussite, ni des contacts avec le monde des responsabilités
que procure le placement des anciens élèves.

LE PROBLÈME DE LA SÉLECTION DE L'ÉLITE
ET DU MAINTIEN DES CASTES TRADITIONNELLES

C'est au niveau de la sélection de l'élite et du maintien des
castes mandarinales et des milieux dirigeants traditionnels
fondés et appuyés sur les grandes écoles et les Grands
Concours que le problème du renouvellement du système
universitaire se joue donc réellement, au moins dans un
premier temps.

Si les Grandes Ecoles sont si importantes en effet pour
la société française, ce n'est pas seulement parce qu'elles
forment les futurs membres de l'élite, c'est parce qu'elles
forment le phénomène même d'élite et lui donnent ses
caractères essentiels, tant en ce qui concerne ses effectifs
que son degré d'ouverture et ses rapports avec d'autres
groupes rivaux ou « subordonnés ».

Quand les élèves de l'E.N.A. déclarent que ce qu'ils
recherchent, c'est le pouvoir, ils répondent à l'attente de
l'enquêteur de la télévision qui réussit à leur faire incarner
un mythe dont ils sont tout autant les prisonniers que les
bénéficiaires, mais ils expriment en même temps une réalité
dont l'importance est décisive.

Cette réalité doit être analysée sans passion. Toute société
sécrète des élites, c'est-à-dire des milieux de responsables

unis par un réseau de rapports de coopération et de rivalité fondé sur des complicités et des protections. Aucun système n'est bon en soi, mais la capacité de développement et d'innovation d'une société est fortement influencée par les procédés de sélection de ses élites.

De ce point de vue, il faut noter que la solution française qui se caractérise par une sélection à la fois extrêmement sévère, impersonnelle et précoce, présente à côté de certains avantages qui ont été plus importants dans le passé des inconvénients dont le poids commence à peser plus lourd dans le monde actuel.

Les avantages essentiels d'une sélection restreinte et précoce, fondée sur des qualités intellectuelles sévèrement contrôlées et renforcées par une formation intensive, c'est qu'elle permet l'accession rapide d'éléments jeunes aux plus hautes fonctions et qu'elle facilite la communication entre des gens ayant des responsabilités dans des institutions, des secteurs et des professions très différentes.

Mais ces avantages entraînent de très fortes contreparties. Les chances de pouvoir ainsi données à un groupe devenu privilégié, constituent sinon un monopole, du moins une rente qu'il importe à ceux qui la possèdent de préserver en la transmettant à de nouveaux membres. L'homogénéité de la sélection et de la formation entraîne la confiance réciproque et le langage commun si utiles pour accélérer les affaires, mais elle accentue la méfiance profonde des outsiders et crée des barrières, fort utiles pour protéger le groupe, mais qui diminuent considérablement son efficacité.

Plus profondément encore, la réussite des Grandes Ecoles répond à des besoins fondamentaux de la société française ; elles sont en symbiose avec le système social et bureaucratique français dont elles sont le reflet et dont elles entretiennent le bon équilibre. Ce système extrêmement lourd

1. Ce n'est pas par sentimentalisme que les « anciens élèves » défendent leurs écoles, c'est parce que leur efficacité dans le jeu social dépend du maintien et du constant renouvellement des réseaux d'influence qui sont fondés sur ces écoles.

n'aurait pu se maintenir et se développer sans l'existence à sa tête d'une strate de dirigeants de qualité. En apparence, l'élite est indépendante de ce système et de ses contraintes. En fait, elle en est l'indispensable et nécessaire contrepartie. Sans elle, le système s'affaisserait, mais sans un tel système, la liberté et le prestige de l'élite ne seraient plus ce qu'ils sont.

On a cru longtemps que seuls des échelons de direction, libérés des contraintes quotidiennes de l'intendance, pourraient imaginer des solutions nouvelles aux problèmes de la société et de la technique, et disposer du recul et de l'autorité nécessaires pour les imposer à tout l'appareil.

Mais le style de réussite des dirigeants accroît la routinisation des tâches d'exécution et de gestion et les emprisonne eux-mêmes dans un ensemble trop passif. Ils ont de plus en plus de mal à imposer leurs vues à des appareils qu'ils n'arrivent pas à contrôler. La coupure qui protège l'élite entretient en effet autour d'elle un climat de frustration. Les rapports entre ceux qui conçoivent et ceux qui exécutent deviennent difficiles, conflictuels et rares. L'accès par la promotion aux échelons supérieurs est découragé sinon inexistant. La participation des échelons inférieurs et moyens aux objectifs généraux des organisations est restreinte et la routine devient un mode d'adaptation rationnel pour eux.

L'isolement de l'élite d'autre part s'accompagne de phénomènes de rivalité peu fructueux entre groupes élitistes différents. Au sommet du système, les généralistes ne communiquent pas avec les ingénieurs, les polytechniciens se protègent contre les E.N.A. La communication ne passe plus, ou mal. On n'échange pas, on se démarque.

L'élite règne, mais sur un désert. Sélectionnée avant toute expérience, incapable de communiquer réellement avec ses collaborateurs et avec ses pairs d'une élite rivale, elle est naturellement rebelle à toute intrusion étrangère. Elle vit en vase clos et, comparativement au moins, tend à s'étioler et à s'appauvrir.

Ce système joue un rôle absolument déterminant dans

le déclin de la capacité d'innovation de la société française. Autrefois, la solution des Grandes Ecoles, en donnant à des dirigeants bien sélectionnés la liberté nécessaire pour « inventer », assurait à la société française une capacité intellectuelle considérable qui se traduisait par l'introduction, pénible il est vrai, d'un nombre important sinon toujours compétitif d'innovations.

Aujourd'hui, l'innovation ne peut se développer vraiment que dans un milieu intellectuel plus large, plus divers, plus riche et plus ouvert à tous les contacts. Non pas que la création échappe à l'individu pour passer, comme on le dit, trop facilement, à l'équipe, mais parce que l'innovation exige, à côté de la créativité individuelle, un milieu coopératif de soutien qui, seul, peut rendre possibles l'essai immédiat des idées en vraie grandeur et l'expérimentation des solutions qu'elles apportent. L'incapacité à résoudre ce problème a constitué jusqu'à présent une des raisons les plus constantes des échecs et du retard du monde intellectuel français et, de plus en plus, de l'ensemble de la société française.

Les deux problèmes essentiels posés par les Grandes Ecoles nous semblent finalement d'une part le problème de leur quasi monopole sur un certain nombre de fonctions, ou, si l'on veut, de la correspondance trop parfaite entre la sélection à l'entrée et des débouchés fixés pour la vie, et, d'autre part, le problème de la hiérarchie et du cloisonnement entre les écoles et parfois même à l'intérieur des écoles, qui tendent à assigner à chaque fraction ou sous-fraction de l'élite un rôle, une philosophie et un terrain à défendre qui la rendent impropre à coopérer avec les autres fractions et sous-fractions, donc finalement à évoluer et à s'enrichir.

Le monde de demain exige impérativement que les élites abandonnent leur tradition de monopole, qu'elles s'ouvrent à la compétition individuelle et à la coopération collective, qu'elles acceptent facilement la montée des gens mal nés. On n'y parviendra que si l'on accepte enfin, d'une part d'augmenter le nombre des « produits » de chaque institution et de les diversifier, et d'autre part de rendre ces institutions compétitives entre elles en supprimant les hiérarchies qui les distinguent, de sorte que puisse petit à petit se créer un marché si large, complexe et changeant, qu'aucune règle fixe ne pourra permettre d'y reconstituer des monopoles.

RÉVOLUTION LIBÉRALE OU RÉVOLTE PETITE-BOURGEOISE

La société française trop tendue dans un effort de modernisation mené selon sa tradition, c'est-à-dire de façon technocratique, a finalement perdu ses nerfs.

Le réflexe le plus naturel serait de revenir en arrière et de renoncer à lutter pour une modernisation rapide. La réaction positive consisterait au contraire à mettre en cause cette tradition technocratique qui est responsable de notre incapacité à effectuer les transformations nécessaires.

Dans l'Université, cela signifierait avant tout libéraliser un système devenu d'une rigidité parfaitement étouffante aussi bien dans ses trop grandes contraintes que dans ses trop grandes facilités.

Deux pressions convergentes malheureusement ont tendu, après la crise du mois de mai, à ramener l'Université à son impuissance première :

1. La régression obsessionnelle d'une bonne part du monde intellectuel et de la jeunesse vers les idéologies millénaristes du changement total, ce qui introduit une force de blocage très forte dans la mesure où une grande partie du potentiel de changement se dépense en fait dans un sens de conservation ;

2. La tentation naturelle du gouvernement et des élites d'acheter la paix sociale et la possibilité d'isoler les extrémistes aux dépens de tout changement structurel ; il est possible d'apaiser les couches petites-bourgeoises par une distribution de protections bureaucratiques qui rencontre

aussi bien la tradition socialiste que la tradition étatique et le catholicisme social et permet pour un temps d'alléger les anxiétés de tous les groupes menacés par le changement.

Dans ce contexte, l'alliance objective nouée entre révolutionnaires et conservateurs devait naturellement rendre les réformes les plus généreuses complètement inopérantes.

Mais, heureusement ou malheureusement, si le système universitaire peut sans doute échapper maintenant à la crise ouverte, celle-ci restera larvée et le problème demeurera posé.

Les élites françaises vont de ce fait porter une grave responsabilité dans les années à venir. De leur choix conscient et peut-être davantage encore de leur comportement inconscient, va dépendre l'orientation décisive de la société française vers l'ouverture ou vers le blocage et la régression.

Si elles acceptent de renoncer au système de monopoles et de privilèges qui leur paraît la nécessaire garantie de leur pouvoir de castes, la société française pourra se débloquer.

Si elles veulent absolument maintenir une tradition élitiste anachronique et refusent d'organiser une concurrence beaucoup plus large, il ne sera plus possible d'arrêter l'enlisement bureaucratique.

Transformer Polytechnique, Centrale, les autres grandes écoles d'ingénieurs, et les écoles d'application en trois ou quatre ensembles universitaires capables enfin de rivaliser avec les meilleures universités techniques mondiales, transformer l'E.N.A. en programmes de troisième cycle concurrents dans deux ou trois universités d'administration ou de gestion de premier rang, remplacer le bachotage des Grands Concours par des programmes de préparation au doctorat, sévères mais très ouverts, ces réformes partielles peut-être moins spectaculaires auraient plus de poids finalement pour le renouvellement de la société française que la proclamation d'une loi universelle.

Le système bureaucratique de l'Université française n'a pas disparu sous le choc ; il s'est affaissé en s'adaptant très modérément aux demandes les plus criantes, mais son cloisonnement s'est plutôt aggravé et son impuissance reste très grande.

Le problème toutefois n'est plus désormais celui de la critique, mais de l'investissement institutionnel indispensable pour reconstruire ou plutôt construire des organisations universitaires vivantes et créatrices.

C'est au sommet, dans la transformation des petites unités fermées actuelles que constituent nos Grandes Ecoles que les chances de succès et d'entraînement sont les meilleures.

C'est par cette réforme que devrait commencer le déblocage de notre système d'éducation.

CHAPITRE VIII

DE LA SIGNIFICATION DE LA CRISE
DU MOIS DE MAI

Les crises sont providentielles pour le sociologue. Elle sont les meilleurs révélateurs des vérités les plus cachées d'un système social. Tous les possibles les plus saugrenus que les contraintes du jeu social élimineraient automatiquement réapparaissent. Les jeux perdent leurs règles, les stratégies se renversent, les comportements changent de sens, et les mécanismes de contrôle les plus profonds et les plus secrets doivent enfin se manifester comme dernier recours.

Le risque est grand malheureusement de se laisser aller à croire que la crise c'est la vérité et que le fonctionnement « régulier » de la société n'était jusque-là qu'un trop long cauchemar. Beaucoup se bercent de cette illusion quelques semaines ou quelques mois. Certains militants qui y consacrent leur vie y trouvent des ressources que la foi religieuse n'offre plus. Mais l'analyste qui s'y abandonne est comme un psychiatre qui prendrait à la lettre les affirmations de ses patients.

Dans le cas des événements des mois de mai et juin en France, le problème a été simplifié et compliqué à la fois par le caractère inhabituellement onirique de la crise. Entre le rêve éveillé, le spectacle du rêve et le rêve de la société spectacle, le monde intellectuel parisien a pour un temps, qui pour certains se prolonge encore, complètement perdu la mesure de la réalité.

Et pourtant, dans le même moment, aucun des fils qui rattachaient les événements à la trame de la vie de tous les jours de la société de consommation n'était rompu. Seule la suppression du ravitaillement d'essence aura assuré au plus fort du spectacle la nécessaire unité de lieu.

Tous les éléments des crises traditionnelles étaient bien réunis. Mais la violence n'a jamais dépassé la ligne rouge que constituait implicitement pour tous les Français la mort physique et le pouvoir n'a pas été renversé.

On peut s'émerveiller en fin de compte de ce témoignage extrême de sophistication que la société française s'est ainsi donné à elle-même en s'offrant le spectacle de ses problèmes les plus profonds de façon complètement improvisée, mais suffisamment contrôlée toutefois pour que rien d'irréparable ne soit commis.

Mais que pouvait, que peut signifier un événement qui n'est plus que spectacle ? Que pouvions-nous vouloir nous dire à nous-même en organisant à la mode des happenings d'aujourd'hui, cette parodie de notre histoire des deux derniers siècles ?

Puisque le fait n'a pas été scellé dans l'irréparable, puisque révolutionnaires et défenseurs de l'ordre n'ont pas vraiment combattu, puisque le roi et son peuple se sont séparés, sans larmes ni sang, et sans savoir s'ils s'étaient vraiment compris, toutes les interprétations à première vue paraissent permises.

Mais la série des miroirs intellectuels qui réflètent à l'infini les songes de ce songe est profondément décevante. Aucun événement n'a secoué plus dur et remué plus profond la conscience collective, et c'est à une plus sévère analyse qu'il nous invite. En fabriquant un tel psychodrame ou en « s'y livrant », les Français ne voulaient pas qu'on prenne à la lettre leurs exhibitions, mais ils demandaient qu'on prenne leurs problèmes au sérieux.

RÉVOLUTION RETROUVÉE OU RÉVOLUTION INTROUVABLE

La signification littérale de la crise du mois de mai est naturellement révolutionnaire. Les sentiments et les passions qu'elle suscite, les mécanismes qu'elle déclenche, son déroulement et sa logique sont révolutionnaires. Tous les actes dans lesquels elle se reconnaît ont toujours une signification précise dans la symbolique révolutionnaire. Une barricade est un défi classique presque rituel. Il ne s'agit pas de manifester, mais d'effectuer des actes qui, symboliquement, ont une signification insurrectionnelle. Il ne s'agit pas d'occuper un bâtiment, mais de profaner l'autorité qui s'exerce dans ce bâtiment. Il ne s'agit pas de contraindre professeurs, patrons ou responsables à faire ou à donner quelque chose, mais d'humilier en eux l'autorité dont ils sont investis.

Il est bien vrai, en conséquence, que l'idéologie qui exprime le mieux cette escalade forcenée qui caractérise l'*esprit de Mai*, c'est celle de ses jeunes héros « enragés ». Que cette idéologie soit hétéroclite et contradictoire importe peu, elle fascine les chrétiens, les non-marxistes et les apolitiques tout autant et éventuellement plus encore que les marxistes, non pas à cause de son contenu, mais parce qu'elle exprime la logique même du « mouvement » dans lequel tous sont entraînés.

C'est donc une interprétation toute naturelle que celle qui reconnaît dans les événements du mois de mai le réveil d'un enthousiasme révolutionnaire que l'on croyait éteint, et il ne faut pas beaucoup se laisser aller pour y voir le coup de tonnerre populaire, le tocsin de 1905, qui annonce le futur Octobre français.

Mais que recouvrent ces symboles et cette logique ? Les héros du mouvement et tous ceux qui se sont laissés gagner par la fièvre de l'action ont, quels que soient leur érudition et leur culture, un raisonnement fondamental de type reli-

gieux ou même magique. Du moment que les symboles sacrés
de la Révolution sont apparus, la substance révolutionnaire
ne saurait être bien loin de cette apparence. Puisque les
signes sont là, la Révolution est proche.

Raymond Aron n'a pas de peine à démontrer l'inconsistance
et la naïveté de cet acte de foi. Le message du mois de mai
ne recouvre pas la moindre réalité révolutionnaire, au sens
technique ; aucun analyste raisonnable ne peut découvrir
dans la crise de 1968 l'un quelconque des éléments de la
révolution prolétarienne à laquelle on se réfère. La société
française n'a subi aucun processus de désintégration. Les
ouvriers français ne sont en langage bolchévique que des
petits bourgeois atteints du vice trade-unioniste. L'appareil
bureaucratique du parti communiste représente bien dans sa
prudence et son orthodoxie malthusienne leurs préjugés et
leurs aspirations. La réalité, d'ailleurs, en a donné une parfaite démonstration ; les étudiants ont cherché désespérément à remettre leur révolution entre des mains qui n'en
voulaient pas. Partout se dressaient des personnalités ou
des groupes tout prêts à exploiter la divine surprise de l'événement, mais il ne s'est trouvé absolument personne pour
reprendre sérieusement le flambeau révolutionnaire.

Conscients de ces difficultés, certains zélateurs plus sophistiqués de la révolution de mai, comme Alain Touraine, ont
cherché à se tirer de cette impasse en transposant dans le
futur cette image de la révolution héritée du passé. Recon-
naissant que les étudiants ne sont pas porteurs d'une révolution prolétarienne dont les ouvriers ne veulent pas, ils les
considèrent comme les premiers acteurs du nouveau drame
de la lutte des classes entre prolétaires et technocrates du
savoir, qui va constituer le ressort profond de la société
post-industrielle, comme la lutte entre capitalistes et prolétaires avait constitué celui de la société industrielle.

L'idée est séduisante. Mais son attrait est avant tout d'ordre sentimental. Pourquoi les institutions universitaires
domineraient-elles la société post-industrielle en se modelant
sur le schéma de l'usine capitaliste ? N'est-il pas plus raisonnable de prévoir qu'elles n'auront d'influence réelle dans la

société que dans la mesure où elles élaboreront des modèles plus efficaces ?

Pourquoi les divisions de l'avenir reproduiraient-elles les mécanismes du passé ? Les clivages du monde capitaliste n'ont pas reproduit les clivages sociaux et religieux de l'époque féodale. Si la clef de la société post-industrielle est la possesion du savoir, il faut s'attendre à d'autres mécanismes d'alliance et d'opposition que celui que Marx avait formalisé dans le schéma de la lutte des classes.

Les problèmes dont traite Touraine sont bien des vrais problèmes, mais à vouloir leur appliquer de force la symbolique sacrée du mythe révolutionnaire, il s'interdit de sortir du raisonnement magique qui est le lien profond de tous les étudiants ou intellectuels du mois de mai.

Si le raisonnement sceptique aronien est tout aussi valable contre Touraine que contre les révolutionnaires classiques, on peut se demander toutefois si sa valeur ne reste pas limitée par le cadre même de la polémique ainsi engagée.

Les révolutionnaires constatent l'existence d'un message révolutionnaires et en concluent à la venue de la Révolution. Aron démontre que la Révolution à laquelle rêvent les enragés de mai ne peut pas arriver, il en conclut que le message n'a aucun sens et que cette *révolution introuvable* n'est qu'une réminiscence et un mauvais rêve sans conséquence [1].

Le dialogue a passionné les Français et continue encore à les émouvoir, bien qu'il soit un dialogue de sourd, peut-être tout simplement parce qu'il enferme ses protagonistes dans un de ces grands conflits métaphysiques qui nous aident à échapper à la réalité.

Aron a beau avoir raison contre les révolutionnaires, il n'a pas raison contre les événements. Il a raison trop facilement devant des adversaires qui s'enferrent dans une mauvaise logique. Le débat est trop mal engagé pour que sa réfutation rende compte sérieusement de l'événement. Il est bien vrai

---

1. Bien sûr, je pousse un peu, et on trouverait chez Aron beaucoup de formules et d'expressions qui dépassent ce schématisme, mais l'esprit de son pamphlet reste profondément marqué par ce schéma.

que la situation n'était pas révolutionnaire, au sens de la lutte des classes marxiste. Mais il est vrai également que la crise était profonde, qu'elle s'est déroulée de façon révolutionnaire et que le message qui a été lancé signifiait bien quelque chose. Si la polémique marxiste, antimarxiste et paramarxiste, est dépassée, cela ne signifie pas qu'il n'y ait plus rien à chercher, tout au contraire.

LA CRISE COMME EXPRESSION DE LA SOCIÉTÉ BLOQUÉE

Si l'on essaie de prendre du recul par rapport au vocabulaire idéologique et au mode de raisonnement marxiste ou antimarxiste habituels, dont l'usage tend en fait, nous l'avons vu, à obscurcir l'analyse, ce qui frappe, dans la crise de mai, c'est qu'elle n'était révolutionnaire ni dans ses objectifs politiques, ni dans ses intentions sociales, alors qu'elle l'était profondément dans ses moyens d'expression, c'est-à-dire au niveau des mécanismes du jeu social, ou tout simplement des rapports humains. Ce n'est pas une rupture sociale ou une rupture politique qu'elle a apportée, mais une rupture culturelle.

L'interprétation qui s'impose, dans cette perspective, est donc une interprétation en termes de moyens ; c'est dans le fonctionnement des institutions de la vie quotidienne, et non pas dans l'organisation du pouvoir politique ou du pouvoir économique, qu'il faut rechercher l'origine et les ressorts de la crise. Les Français ne se sont pas révoltés pour mettre fin à l'exploitation capitaliste ou pour bâtir la société sans classes, ils se sont précipités dans la crise pour mettre en cause un système de relations humaines, un style d'action et un mode de gestion dont ils souffraient.

La crise de mai apparaît donc d'abord comme une mise en cause du style d'action à la française et une révolte instinctive contre ce que nous avons appelé la société bloquée.

D'une certaine façon, les traits les plus caractéristiques de la crise peuvent être considérés comme des caractéristiques de la société bloquée.

La société bloquée était fondée sur la peur du face à face et sur une conception hiérarchique de l'autorité. Eh bien, la crise sera le festival du face à face et la contestation de l'autorité.

Dans tous les secteurs, dans toutes les formes d'activités et dans tous les types de groupes, les rapports humains habituels ont été mis en question. Certes, les activités d'ordre intellectuel ont été les plus touchées. Mais aucune forme d'activité humaine, depuis les classes d'écoles jusqu'aux bureaux d'études administratifs, en passant par les ateliers, les coopératives et les couvents, n'a été épargnée par cette grande vague collective d'expression. Barrières et contraintes ont cédé, ou plutôt on a cherché avec un acharnement systématique à supprimer toute barrière et toute contrainte à la communication. De l'univers du secret, on est passé à l'univers du déballage. Ceux qui avaient l'habitude de se protéger les uns les autres contre toute communication se sont abreuvés de paroles. On a étalé les secrets, violé les tabous du langage et forcé à entendre ceux qui n'avaient jamais le temps d'écouter.

Dans le même mouvement, toute autorité se trouvait automatiquement contestée et le face à face naissait naturellement de cette contestation, comme si de la même rupture procédaient inéluctablement la désacralisation de l'autorité et l'engagement dans le monde de la parole.

Le caractère compulsif presque automatique de ce renversement se trouve confirmé par un fait dont on n'a peut-être pas très bien pris conscience, mais qui est tout de même remarquable. Partout, des phénomènes exactement semblables se sont produits, comme si la rupture symbolique de départ effectuée à Nanterre et à la Sorbonne avait donné le signal d'un renversement que chaque cellule sociale effectuerait à son tour instinctivement et qui la conduirait à un déroulement et à des procédures identiques, malgré toutes les différences de situation, de contexte et de problèmes.

Ce renversement, en même temps, bien sûr, était con-

damné à ne pas réussir et à ne rester qu'une fête sans lendemain, dans la mesure où on ne sortait pas du système que
l'on contestait. Prendre la parole et contester l'autorité pouvaient s'effectuer de façon automatique, presque stéréotypée, parce qu'il ne s'agissait pas en fait de changer de système ou de style et parce qu'on n'avait pas en conséquence à
chercher d'autre moyen de résoudre les conflits inéluctables
entre le groupe et les individus.

On a effectivement cru qu'on pouvait briser l'autorité,
comme si c'était un tabou, et prendre la parole, comme si
c'était la Bastille. Jamais on n'a ressenti l'autorité ou la
communication comme des relations à la fois nécessaires et
limitées. Jamais on n'a imaginé que la juxtaposition des
monologues libérés ne pourrait réussir à fonder une communauté et que la relation immédiate et spontanée d'une foule
sans chef et sans contrainte ne peut durer que l'espace d'un
paroxysme.

C'est dans leur système que les Français, sevrés de communication et de rencontre humaine, rêvent de l'expression
et de la communication totales et spontanées. C'est dans leur
système finalement qu'ils se sont payés cette grande fête,
où tout n'était possible que parce que ce n'était qu'une fête.
Quand ils sont revenus, saoulés et épuisés de leur aventure,
rien n'avait changé, rien ne pouvait en fait avoir changé.

C'est ici qu'apparaît une nouvelle dimension du problème.
Car ce balancement n'est pas un accident, il est conforme
à la logique du système que constitue la société bloquée.
La révolte instinctive et le renversement temporaire en sont
aussi des traits caractéristiques.

La société bloquée, en effet, est fondée sur une opposition
constante entre des groupes toujours négatifs et toujours
conservateurs et des individus — les membres de ces groupes —, à qui la protection que leur donne leur appartenance
permet de manifester en toute irresponsabilité leur créativité
personnelle. Révolutionnaire comme individu, conservateur
comme membre d'un groupe, le citoyen de la société bloquée
gagne sur les deux tableaux. Mais les institutions dont il fait
partie seraient condamnées à l'immobilisme si des crises ne

survenaient pour assurer les indispensables réajustements. Alors, dans de brefs moments où l'effervescence créatrice des individus peut briser les barrières de groupe, un nouvel équilibre s'établit dans une mêlée en général aveugle. Les résultats sont sans commune mesure avec les vœux des participants, et l'énergie dépensée, les traits fondamentaux du système demeurent, mais un certain nombre de problèmes ont été résolus.

Ce phénomène est particulièrement net dans notre système politique[1]. Quand un système se trouve aussi parfaitement intégré et rendu aussi rigide par le caractère monolithique de son instrument administratif, de sorte qu'il n'y ait rien qui compte (sauf des protections) entre l'Etat et le citoyen, ce système a une force d'inertie considérable, il résiste très longtemps aux pressions avec la force de sa surdité et de son aveuglement. Mais quand il se trouve mis en mouvement à travers une crise, il est très difficile de l'arrêter. Quelques douzaines d'étudiants peuvent, par une réaction en chaîne imprévue, mettre en danger le régime tout entier.

Les événements de Mai révèlent à la fois la rigidité et la fragilité du système. Mais ils permettent de comprendre en même temps les ajustements et les corrections que les républiques bourgeoises avaient, à travers une longue expérience, réussi à apporter au modèle pour lui donner du jeu. Ils mettent en évidence en particulier la fonction de coupe-circuit automatique qu'assuraient les crises ministérielles dont tout le monde s'indignait, mais qui permettaient d'éviter les plus grands risques. La minicrise, au cours de laquelle des solutions étaient dégagées dans l'urgence et la confusion, était indispensable pour que les problèmes insolubles puissent être réglés en dehors de toute publicité et sans compromissions publiques. La suppression de cet ersatz civilisé de crise n'a fait que renforcer le blocage général.

La crise aiguë que nous venons de subir nous a forcés à prendre conscience de ces tendances très profondes que l'on

---

1. Ce modèle se développe de façon encore plus exemplaire dans le système d'éducation, comme nous l'avons analysé dans le chapitre précédent.

ne pouvait discerner qu'à grand-peine dans le fonctionnement habituel des institutions. Elle les a mis en évidence,
mais elle ne les a pas créés, et on doit donc dire que si ces
mécanismes sont bien des mécanismes fondamentaux de la
société bloquée, la crise du mois de mai n'en est pas la mise
en cause, mais bien plutôt une expression plus claire[1]. Et
ce qui me frappe personnellement le plus dans l'analyse des
événements de Mai, c'est la clarification qu'ils ont apportée
aux phénomènes les plus obscurs d'une société acharnée à se
cacher ses modes de régulation profonds. On dirait une sorte
d'immense expérience naturelle, dans laquelle les vieilles
hypothèses ont été mises à l'épreuve et une première démonstration a été effectuée.

Il ne s'agit pas seulement, on me comprendra je l'espère,
de l'exaltation du spécialiste qui découvre le lien qui lui man-
quait. La révélation d'un fait caché, la prise de conscience
même et surtout instinctive d'un phénomène, changent ce
phénomène et provoquent à plus ou moins long terme des
effets considérables.

CRISE RÉGRESSIVE OU CRISE CATHARTIQUE

Le raisonnement sur les relations humaines et les mécanismes du jeu social nous entraînent à un niveau de réflexion
plus profond que le débat sur les symboles révolutionnaires.
Mais l'interprétation à laquelle nous sommes conduits reste
très partielle.

La crise a été une expression de la société bloquée, et en
même temps elle en a révélé les tendances et les mécanismes
cachés. Mais l'a-t-elle fait évoluer ? Elle a obéi au modèle

1. Je suis naturellement porté à considérer comme une preuve le
fait que l'analyse que j'avais effectuée sur plusieurs institutions
très limitées, mais très caractéristiques, m'avait conduit à faire
l'hypothèse que de tels mécanismes existaient à l'état de tendances
latentes dans l'ensemble du système français. Voir *le Phénomène
bureaucratique*, particulièrement p. 307-342.

classique. Mais en est-elle seulement la réaffirmation ? Signi-
fie-t-elle un retour à la tradition ou bien l'amorce d'une rupture ?

La première interprétation, la plus logique et la plus facile,
c'est qu'elle est une crise régressive.

Le système bureaucratique à la française était menacé ;
l'ensemble des changements en cours commençait à compromettre sérieusement son équilibre. La crise qui obéit
parfaitement au modèle classique est un retour en arrière.
Elle ramène à son équilibre fondamental un système qui tendait à s'en écarter. Elle n'a pas eu lieu parce que la société
française ne changeait pas, mais parce qu'elle changeait
trop. C'est une crise *dans* le système qui a permis d'éviter la
crise *du* système.

Le modèle français, comme nous avons essayé de le montrer, est de plus en plus inefficace dans un monde en changement accéléré. Il ne permet ni le minimum de communications ni la mobilisation des ressources humaines qui sont
indispensables au développement d'une société industrielle.
Sa capacité d'adaptation et sa capacité d'innovation sont
limitées.

La société française répond au défi du monde moderne
par des interventions très technocratiques, et par conséquent
maladroites, des dirigeants des divers secteurs d'activités
qui tous cherchent à imposer le changement d'en haut dans
le style même du système. Une modernisation considérable
est accomplie, mais dans la confusion, dans l'irresponsabilité
et au prix de tensions considérables. Le réformateur autoritaire qui est le seul personnage moteur du système est
obligé de trancher à l'aveugle, donc d'imposer un coût matériel et surtout affectif insupportable à ceux qu'il pousse
toujours contre leur gré.

C'est ainsi qu'on peut aboutir à un climat de rupture.
C'est évidemment dans l'université que ce fut le plus net
avec la réforme Fouchet. Mais on peut trouver les mêmes
tensions dans les entreprises avec les craintes des cadres
devant les fusions et les réorganisations, dans l'équilibre des
secteurs d'activité avec l'anxiété montante des petits com-

merçants et des paysans, dans l'ordre urbain avec la résistance des notables locaux aux efforts toujours autoritaires de rénovation des structures financières et administratives. Au sommet même, la volonté activiste du général de Gaulle et de certains de ses ministres aboutissait à rendre l'Etat plus fragile, au lieu de le raffermir.

On a voulu changer trop vite et trop brutalement les objectifs, les fonctions et les modes de vie des Français, tout en maintenant le mode de gouvernement anachronique qui rendait justement insupportable le fait même de changer.

En même temps, par tous les efforts de modernisation et d'ouverture qu'on accomplissait, on accélérait la critique du système et on introduisait des ferments de changement. Le besoin de communication et de participation s'affirmait partout instinctivement, mettant en cause de façon affective les modes de gouvernement, auxquels on s'opposait de façon matérielle. Plus on changeait, plus on perdait foi dans les vertus d'un système qui apparaissait de plus en plus condamné à plus ou moins longue échéance.

Tout se passe donc comme si finalement la société française avait bronché devant l'obstacle et perdu ses nerfs dans un processus de mutation très mal engagé, mais qui mettait en cause son mode traditionnel de fonctionnement.

Cette interprétation, certainement pertinente à un premier niveau d'analyse, ne permet pas toutefois de conclure au renforcement des vieux mécanismes.

Certes, on peut noter depuis la fin de la crise beaucoup de reprises en main dans le style le plus classique et un relatif enlisement de certains secteurs, comme l'Université, dans un système bureaucratique rééquilibré et élargi. On peut aussi remarquer que les deux crises précédentes les plus importantes, celle de 1936 et celle de la Libération, avaient abouti finalement, et quel qu'ait été par ailleurs leur apport, à une extension de la rigidité bureaucratique. Mais, au même moment, on a l'impression que les réactions qui dominent dans tous les milieux dirigeants, contrairement à ce qui s'était passé lors de ces deux autres crises, sont des réactions de dépassement, et non pas de régression.

On peut donc se demander si la crise, en mettant en évidence les mécanismes anciens, ne les a pas, dans une large mesure, dévalorisés ; si elle n'a pas provoqué finalement une réaction de répugnance instinctive, et si finalement elle n'aura pas joué un rôle cathartique.

Revenons à l'image du spectacle qui, après tout, est bien le lieu idéal de la « purge des passions ».

Le fait qu'on ait rêvé tout haut et tout éveillé à la révolution, qu'on ait rêvé qu'on allait jusqu'au bout, mais qu'on ne l'ait effectivement pas fait, et qu'un très fort consensus se soit finalement dégagé chez les contestataires eux-mêmes [1] pour maintenir toute l'agitation du côté de la farce et du chahut me semble finalement un des traits décisifs des « événements ».

La société française s'est sentie provoquée jusqu'au plus profond. Elle a été le plus loin possible, mais pas pour faire, seulement pour voir. Elle a *presque* explosé, *presque* fait la révolution totale. Mais, en fait, elle a joué, et dans le jeu elle a expérimenté. Dans ce presque et dans cette expérimentation, on peut découvrir un autre sens de la crise. On s'est révélé ses propres sentiments, ses propres possibilités et ses limites. On a poussé à l'absurde, on a joué au paroxysme et on a cherché les effets. Mais c'est bien là l'essentiel du jeu théâtral et de cette fascination qu'il exerce sur toute société suffisamment développée. Pourquoi alors ne pas penser que, comme dans le jeu théâtral, une fonction profonde d'ordre cathartique a été assurée ?

Peut-être découvrira-t-on à l'expérience que c'est la génération qui a fait Mai, qui aura brisé la première l'attachement traditionnel aux illusions révolutionnaires dont elle aura pu, mieux que les générations précédentes, mesurer le caractère dérisoire. Si on a joué et parodié les livres d'histoire, c'est peut-être parce qu'on était tout prêt de les fermer.

Le général de Gaulle avait tenu à jouer Richelieu et Louis XIV. Les enragés de Mai lui ont répondu par les grands

---

1. Sauf chez une petite minorité, dont l'influence a toujours été limitée par le sectarisme.

jeux de 1793 et de 1848. Mais maintenant que le départ du
général a bien signifié que le temps du spectacle est terminé,
on peut se demander si ces dix ans de *Sons et Lumières*
s'achevant dans l'apothéose de Mai n'ont pas eu surtout
un effet d'exorcisme. Peut-être dira-t-on plus tard que le
grand changement des mœurs françaises date de cette
période.

Dans l'immédiat après-gaullisme certes, le désert politique, la morosité de l'opinion et le désarroi de la réflexion
traditionnelle que soulignent et exagèrent les commenta-
teurs ne signifient pas progrès. Au moins ces réactions ren-
dent-elles possible le renouvellement des mécanismes du jeu
traditionnel. Dès maintenant, un changement est perceptible
qui est peut-être la cause de l'inquiétude et du malaise, c'est
un changement de la sensibilité. Grands commis et grands
patrons commencent à sentir le ridicule qu'il y a à vanter
l'activité prétentieuse et brouillonne qu'ils déploient et qui
ne sert généralement qu'à étouffer les initiatives sérieuses
qui viennent toujours de plus bas. Les mandarins de tout
poil tranchent avec plus de vergogne. La société française
recommence à se libéraliser.

Certes, l'avenir est toujours incertain, la partie n'est pas
gagnée, mais peut-être y a-t-il une chance réelle d'ouverture.

Dans cette conjoncture, les élites françaises vont porter
finalement une terrible responsabilité, à laquelle elles sont
mal préparées. C'est de leur choix conscient et de leurs comportements inconscients que va dépendre en effet dans les
années à venir la signification de cette crise étrange qui a
secoué toute la société, mais les a mis plus directement en
cause.

Si elles cherchent à se protéger encore contre la contestation et à maintenir à toutes forces leurs privilèges, nous
aurons cédé une fois de plus à nos vieux démons et nous
allons nous enfermer définitivement dans le huis clos de la
contestation éternelle entre le radicalisme irresponsable et
la revendication corporative des bureaucrates et des petits
bourgeois.

Si elles jouent l'ouverture et acceptent d'évoluer, la crise de mai apparaîtra très vite comme le dernier grand cinéma que cette vieille nation incurablement romantique devait absolument se payer avant d'entrer dans le monde de la responsabilité.

TROISIÈME PARTIE

LES VOIES DU CHANGEMENT

CHAPITRE IX

DU NÉCESSAIRE RENOUVELLEMENT
DE LA MÉTHODE INTELLECTUELLE

Du point de vue intellectuel, moral et politique, la crise du mois de mai marque pour la France la fin d'une période et l'avènement d'une nouvelle sensibilité.

Mais si c'est chez nous que la rupture a été la plus vive et de ce fait la plus facile à distinguer, sinon à analyser, le retournement a été général et il n'a même pas commencé en France. Notre crise a pris une signification très particulière et elle renvoie d'abord à notre système de gouvernement et à notre style d'action, mais elle s'insère en même temps dans un grand mouvement, une sorte de basculement général du monde civilisé qui s'est précipité à la fin des années 1960.

Quelque chose est mort qui fut espoir, qui paraît maintenant illusion et dont la disparition nous laisse accablé : un certain rationalisme trop simple, une certaine confiance trop facile dans la raison, la convergence et le progrès.

Ce retournement comme la rupture française a déclenché une grande fièvre idéologique. Mais ce qu'il met en cause en fait, comme la crise de mai, ce sont les modes de pensée et les systèmes de gouvernement qui les sous-tendent beaucoup plus que les principes moraux.

Aucun exemple plus spectaculaire et plus éprouvant de ce changement de sensibilité ne me paraît plus révélateur pour comprendre ce problème crucial que celui de la guerre froide et de l'opposition entre les blocs.

LA FIN DU RÊVE DE CONVERGENCE

Qui aurait jamais pu penser, il y a quinze ou vingt ans, que l'espoir d'une convergence possible entre les deux systèmes, soviétique et américain, un espoir alors très aventureux que seuls quelques esprits avancés osaient formuler dans la nuit de la guerre froide, allait devenir aux yeux des contestataires de la fin des années soixante et d'une bonne partie de la nouvelle génération de l'élite intellectuelle qu'ils influencent, la plus détestable réalité d'un monde oppressif et pourri ?

Qui aurait pu le penser même il y a seulement six ou sept ans quand le monde entier vibrait encore dans cet espoir à l'appel de ces grandes figures de l'ouverture et de la libéralisation, Kennedy, Khrouchtchev, Jean XXIII ? Ce retournement spectaculaire n'est bien sûr que l'un de ceux qui caractérisent les années de crise morale et intellectuelle que nous venons de vivre. Le rêve de la convergence s'est effondré en même temps qu'un certain idéal de progrès facile et indéfini, de confiance en la raison humaine et de foi libérale dont l'Amérique du *Peace Corps* constitue le meilleur exemple, mais dont on pourrait retrouver des traces dans l'exubérance krouchtchevienne et dans la simplicité du pape Jean [1].

Sur quoi reposait la logique de ce raisonnement de coexistence ? Sur un pari implicite. Puisque c'est le fanatisme idéologique qui s'exprime dans les deux conceptions opposées du monde qui semble la source de l'affrontement, c'est dans la compréhension de la réalité sociologique sous-jacente qu'il faut chercher avec les possibilités de dépassement les vraies raisons d'espoir.

---

1. La France n'a pas été l'animatrice d'un tel rêve, mais elle y a profondément participé, et tous les mouvements de renouveau qui ont sensibilisé l'opinion, que ce soit celui de Mendès, celui de la campagne Defferre ou celui du Défi américain, en ont été une expression française.

Si seulement, réfléchissait-on, on parvenait à déplacer le champ de la discussion, Russes et Américains découvriraient qu'ils ont au fond les mêmes problèmes et les mêmes contraintes. Quelle que soit leur idéologie, les uns et les autres doivent recourir à de grandes organisations et s'accommoder des contraintes que celles-ci imposent. Ils subissent les mêmes routines et les mêmes complications, ils bénéficient des mêmes avantages de sécurité et de relative égalité. Ils doivent accorder de plus en plus d'importance aux experts de toute sorte sans lesquels la machine extraordinairement compliquée qu'ils ont élaborée ne pourrait fonctionner. Ils doivent consacrer de plus en plus d'efforts à la recherche scientifique et respecter la liberté de savants devenus eux aussi indispensables. Ils sont enfin de plus en plus gouvernés à tous les niveaux par des managers dont l'esprit est tourné vers l'efficacité plutôt que vers l'idéal.

Reconnaître ces problèmes et ces contraintes, pensait-on en même temps, devrait conduire non seulement la Russie et l'Amérique, mais aussi toutes les sociétés modernes à hâter l'évolution naturelle qui doit les amener à la convergence. Passant d'une économie de rareté à une économie d'abondance, les Russes sont obligés d'assouplir et de décentraliser leur système économique, il leur faut réintroduire le marché et par voie de conséquence libéraliser leur système politique. Les Américains de leur côté doivent de plus en plus intervenir dans leur économie pour maintenir l'expansion ; les régulations de l'ensemble économique et social deviennent chez eux obligatoirement plus conscientes et plus responsables. Les investissements scientifiques qui commandent désormais l'ensemble du progrès technologique devraient de plus en plus être assurés et coordonnés par l'Etat. La multitude des transferts sociaux accentue le caractère régulé sinon planifié de l'ensemble économique. Entre une société de grandes organisations propriétés privées mais de plus en plus planifiées, d'une part, une société de grandes organisations publiques qui par souci d'efficacité cherche à réintroduire la souplesse d'adaptation et à mobiliser les capacités d'initiative qui sont la caractéristique de l'économie de marché, la distance n'est pas si grande et devrait de plus en plus s'amenuiser.

Il n'est pas jusqu'à l'aggiornamento de l'Eglise catholique enfin qui ne soit apparu dans son effort de présence au monde et d'ouverture humaine comme le moyen attendu de sacraliser cette ascension générale dont les idées de Teilhard de Chardin auraient très bien pu servir de philosophie commune.

TROIS ERREURS DE JUGEMENT

Quelques années à peine après ces enthousiasmes, notre monde semble revenu, à l'Est comme à l'Ouest, au scepticisme et au goût de l'échec. Non seulement les progrès de la coexistence qui nous auraient remplis d'allégresse il y a dix ans ne nous intéressent plus, mais il ne s'agit plus de risquer ou de conquérir, on ne cherche plus qu'à porter témoignage. Le cycle de l'absurde et de la dérision a recommencé à hanter notre subconscient avec d'autant plus de violence et de désespoir qu'on avait abaissé barrières et précautions anciennes devant le new look de l'espoir.

Qui est-ce qui a pu faire dérailler notre espoir ? L'ampleur du retournement ne permet pas de se contenter d'en rendre compte par les péripéties d'une histoire événementielle. C'est au plus profond qu'il faut viser. Comme l'analyse de la crise française nous éclaire sur la logique du système bureaucratique et de la société bloquée, l'analyse du grand retournement peut nous faire comprendre la logique des systèmes qu'il a mis en échec et doit nous conduire à nous interroger plus sérieusement sur la méthode intellectuelle que nous employons pour concevoir et gouverner notre avenir.

Ce ne pouvait pas être, bien sûr, l'objectif général qui était erroné. Qui pourrait objecter à l'idée de coexistence pacifique et de rajeunissement des institutions ? Mais la voie de la convergence était-elle une voie réaliste ? Avait-on apprécié de façon raisonnable les données sur lesquelles on prétendait travailler ? Et la méthode intellectuelle qui servait de fondement à l'action entreprise était-elle vraiment justifiée ?

Si l'on s'engage dans cette voie de recherche, trois séries d'erreurs d'appréciation apparaissent. On avait tout d'abord oublié ou l'on avait refusé de voir l'immense supériorité du système américain, non pas en richesse acquise, mais en capacité de développement. Certes, dans le cadre de la guerre froide, l'équilibre de la terreur nucléaire avait réalisé une parfaite symétrie. Mais c'était une symétrie dans la statique militaire et dans la condition égale de deux joueurs qui, quelles que soient leur richesse et leur force, sont obligés de devoir miser leur vie propre ; les hommes sont tous égaux devant la mort, mais ils ne le sont pas devant la vie. Quand on passe aux performances « civiles » des deux systèmes, les différences s'accusent.

On peut appeler également technostructures les couches dirigeantes américaines et soviétiques pour souligner qu'elles jouent un rôle équivalent, chacune dans leur système. Mais cette symétrie logique ne doit pas cacher que la technostructure américaine peut mobiliser beaucoup plus de ressources, agir avec beaucoup plus de souplesse et d'efficacité, et dispose d'une capacité générale d'innovation beaucoup plus grande.

Cette différence est d'autant plus importante que la libéralisation ne fait que l'accroître. Guerre froide, restrictions et cloisonnements protégeaient au fond le système le plus rigide en masquant ses défauts et en paralysant son adversaire. L'ouverture bénéficie au plus souple. La théorie de la convergence qui prétendait mettre les deux systèmes sur le même pied a abouti en fait à accentuer le retard soviétique.

Paradoxalement, en effet, c'était dans l'affrontement de la guerre froide que les deux systèmes se ressemblaient le plus, c'est dans l'ouverture de la libéralisation que le plus puissant peut prendre l'avantage en renforçant ses propres particularités.

Dans le court terme au moins, contrairement à ce qu'on avait cru, l'ouverture ne favorisait donc pas la convergence, mais le système le mieux adapté à la compétition, la seule convergence possible étant une convergence « américaine ». L'idéal de la convergence qui était un idéal pacifiste devait donc naturellement devenir une source de déséquilibre éventuellement dangereuse.

On avait en second lieu oublié ou refusé d'apprécier à leur juste importance les aspects organisationnels qui opposent très profondément les entreprises et généralement toutes les organisations en Amérique et en U.R.S.S. Que les problèmes soient semblables ne signifie pas qu'on ne puisse leur donner qu'une seule réponse. Certes, on retrouve certains traits caractéristiques identiques chez les « managers » de tous les pays, mais leur mode de raisonnement et leur style d'action sont très profondément différents en Amérique et en U.R.S.S. Le développement de la planification dans les grandes entreprises américaines ne doit pas faire illusion. La tendance générale n'est pas à la routinisation du rapport avec l'acheteur (même si dans certaines branches d'industrie on trouve des éléments du conditionnement de la demande décrit par Galbraith), mais bien plutôt au développement d'une stratégie plus rationnelle qui implique des risques calculés et non pas l'engagement dans une relation exclusive. L'esprit de monopole semble diminuer avec l'explosion scientifique éloignant ainsi encore plus l'entreprise américaine des entreprises soviétiques qui ne peuvent, elles, s'en détacher malgré les tentatives désespérées de leur gouvernement.

C'est seulement en ce qui concerne les conséquences sociales du développement que la planification retrouve le sens qu'elle perd en matière d'économie. La convergence sur laquelle on voulait s'appuyer ne paraît pas du tout devoir se produire au niveau des entreprises. On peut évidemment la chercher beaucoup plus loin dans ces efforts, en partie symétriques de chaque système pour remédier à des difficultés extraordinairement différentes. Mais au lieu de pousser au changement ou au dépassement, le rêve de convergence devient alors au contraire aussi bien pour le système occidental que pour le système soviétique, un frein, une excuse et un alibi facile pour maintenir le statu quo.

Certes la révolte contre le conditionnement par les organisations est la plupart du temps une révolte absurde qui témoigne d'une totale incompréhension des conditions réelles de la liberté humaine. Mais une telle révolte a été le fruit naturel de la vision statique dans laquelle tendait à nous enfermer le rêve de progrès libéral. Au lieu de faire prendre conscience aux nouvelles générations des difficultés et des promesses qu'offre désormais l'ensemble des activités rationnelles de plus en plus complexes et changeantes de nos sociétés, on leur a donné l'impression que de ce côté-là au moins on était entré dans l'ère de la stabilité et du conformisme.

On avait enfin et surtout profondément sous-estimé une dernière source de déséquilibre, l'accélération du développement scientifique. On tendait à raisonner comme si l'on avait plus ou moins maîtrisé les conséquences du développement et comme si la théorie économique moderne pouvait, en maintenant une croissance stable, éliminer les mutations et les ruptures trop brusques.

Mais l'harmonie des courbes nationales ne doit pas masquer l'ensemble des ruptures et des crises locales. A la limite, l'expansion économique continue et l'application de plus en plus rapide des découvertes scientifiques aux progrès technologiques qu'elle favorise ne fait que multiplier les disparités et les divergences entre nations, entre régions, entre catégories et entre secteurs. Le développement ne suit que dans le court terme les extrapolations linéaires des courbes statistiques. Celles-ci ont beau constituer notre meilleure approximation d'ensemble, elles ne donnent qu'une très mauvaise appréciation de la réalité vécue. L'harmonieuse croissance qui se manifeste au niveau des agrégats cache de multiples crises de mutation et de régression. C'était une vue trop hâtive, d'autre part, qui concluait de la connaissance des grandes caractéristiques du développement à l'idée que nous étions en train de le planifier. Nous n'entrons pas dans un monde fini, tout au contraire. Le champ des possibles tend à s'accroître. La libéralisation renforce cette tendance qui travaille encore en faveur du système américain.

Mais l'immensité du devenir humain qui paraît désormais possible ne peut pas être accueillie comme une bénédiction. Ce n'est pas parce qu'elle apporte une contradiction retentissante à tous les philosophes conservateurs de droite ou de gauche qui annoncent la fin de la liberté que les sociétés modernes peuvent retrouver la confiance, tout au contraire. Les responsabilités qu'entraîne la découverte d'un tel potentiel de liberté sont en fait effrayantes et elles sont la source de cette angoisse que l'homme moderne a de plus en plus de mal à maîtriser.

C'est pourquoi contrairement aux apparences, c'est sur le plan humain que le système américain est désormais le plus vulnérable. Non pas qu'il soit plus oppressif, mais parce qu'il change plus vite et parce qu'il est plus en avance dans le processus de changement culturel dans lequel toutes les sociétés industrielles sont engagées.

Il est même victime au second degré des mécanismes démocratiques qui ont favorisé son extraordinaire réussite matérielle. Participant beaucoup plus à l'aventure collective que les citoyens de sociétés plus stratifiées, entraînés par une concurrence beaucoup plus large, les Américains sont obligés d'intérioriser tous les conflits et toutes les contradictions dont leur société est le théâtre beaucoup plus profondément que les membres de sociétés qui peuvent rejeter la responsabilité des changements sur des dirigeants ou un système plus coercitif.

L'ÉPUISEMENT DES MÉTHODES
ET LA CRISE DE LA SYNTHÈSE LIBÉRALE

Contrairement aux espoirs prématurés de convergence, notre monde moderne risque donc d'être dans le court terme et dans le moyen terme beaucoup plus un monde de ruptures, de divergences et de disparités entre nations, systèmes, régions ou groupes qu'un monde harmonieux de progrès rationnel, libéral ou collectiviste.

S'il en est ainsi, on peut penser que ce qui est vraiment en cause dans cette grande épreuve de coexistence active qu'on n'avait pas su anticiper, ce ne sont pas des idéologies qui étaient en fait depuis longtemps dépassées, mais les méthodes intellectuelles sur lesquelles on se repose pour concevoir et organiser l'action collective.

Le rationalisme planificateur à la soviétique a été atteint le premier. Il ne pouvait faire illusion que dans une atmosphère de contrainte et de secret. Dès que le champ de la compétition a cessé d'être le champ militaire pour devenir celui de la consommation, son inefficacité est devenue apparente.

Ce n'est pas une question d'idéal ou d'objectifs ; tout le monde est d'accord depuis longtemps dans tous les pays industriellement avancés pour penser que la production doit constamment augmenter et répondre d'abord aux besoins primordiaux des hommes, que le gaspillage est déplorable et que le chômage est un fléau, qu'il vaut mieux ordonner rationnellement les activités humaines que de laisser s'instaurer la loi de la jungle.

Mais tout le problème est dans les moyens et dans la méthode qui permet de les utiliser. Or ces moyens sont d'une lourdeur et d'un coût insupportables. Ils rendent extrêmement difficile la communication entre la base et le sommet, ils faussent toutes les informations, ils interdisent de procéder rapidement aux multiples ajustements indispensables, ils découragent l'innovation et étouffent les ressources humaines potentielles du système.

La méthode synthétique, déductive, *a priori* qui justifie l'usage de ces moyens, est une méthode rigide qui rend très difficile l'apprentissage par l'expérience. De fait, les dirigeants soviétiques préfèrent se livrer périodiquement à de grandes révolutions administratives et emprunter entretemps les procédures, les techniques et même les solutions américaines plutôt que de repenser les principes et les méthodes d'action qui sont à la source de leurs échecs.

Curieusement toutefois la faiblesse totalitaire de l'ensemble administratif constitue finalement une protection suffisante pour ses intellectuels. Ses échecs successifs en effet renforcent la nécessité de recourir à la contrainte qui est justement la cause même des blocages les plus profonds, protégeant ainsi la bonne conscience *rationaliste* des ingénieurs et des idéologues du système contre toute véritable contestation.

Pendant quelques années, les échecs de la planification soviétique ont paru devoir définitivement justifier et consacrer les prétentions des intellectuels libéraux américains. La *synthèse libérale* dont ils étaient les inspirateurs apparaissait comme la dernière (et seule) incarnation possible de la raison. En fait, ce succès portait en lui promesse de ruine. C'est à cause de ses succès et non pas malgré eux que la *synthèse libérale* devait être beaucoup plus directement et profondément mise en cause que le rationalisme soviétique.

Pourtant la défaite des éléments populistes et anti-intellectuels avait sonné en 1960 l'avènement de l'ère du libéralisme triomphant. L'éclatante humiliation de l'U.R.S.S. lors de la crise de Cuba s'était marquée avant tout dans la méthode et le mode de raisonnement et la démonstration de la supériorité américaine en ce qui concerne la capacité de développement, d'organisation, de changement et généralement d'action qui se manifestait de plus en plus dans toutes les branches de l'activité humaine, apparaissait finalement aussi beaucoup plus comme la conséquence d'une supériorité de méthode intellectuelle que comme celle des moyens matériels et financiers.

Mais ces succès mêmes étaient dangereux. Tant que le pouvoir appartenait à des conservateurs ou à des modérés, la synthèse libérale avait été en fait protégée par l'existence d'une barrière de traditions et de préjugés.

Mais dès que ses protagonistes furent au pouvoir, elle dut essuyer directement le feu des responsabilités et sa faiblesse se révéla aussi bien sur le front extérieur complètement dominé par une guerre coloniale absurde qu'ils ne surent ni prévoir, ni arrêter, ni comprendre, que sur le front intérieur où l'explosion raciale est survenue au moment même où, du point de vue de la philosophie libérale, les progrès avaient été les plus grands.

Pour comprendre un tel échec aussi spectaculaire qu'inattendu, il faut analyser la logique du libéralisme. C'est avant tout une logique de principes. Certes, ces principes sont plus complexes et plus sophistiqués que ceux des rationalistes soviétiques, mais ils commencent à s'user. La meilleure preuve en est que personne désormais n'oserait y faire objection. Qui refuserait d'être rationnel, progressif, moral, démocratique ou universaliste ? Cette unanimité n'est pas une force mais une faiblesse, le signe que le combat intellectuel ne peut plus se placer à ce niveau et qu'il n'est plus possible de déduire de l'acceptation de ces principes un modèle d'action.

En fait la vraie caractéristique des libéraux, ce n'est pas la fidélité à des principes désormais inutiles parce qu'ils ont trop bien réussi, mais une certaine façon tranchante et péremptoire de les utiliser. Leur grande faiblesse, c'est d'avoir cru que le temps pouvait s'arrêter et qu'il était possible de transformer ces principes en une synthèse rationnelle permettant d'avoir réponse à tout. En fait cela consistait à extrapoler à toute la société américaine et éventuellement à l'ensemble universel, les tendances, résultats et connaissances de l'expérience américaine du moment. Péché d'orgueil et de suffisance auquel ont succombé toutes les élites, mais que l'accélération du rythme de l'histoire a précipité, punissant ceux qui s'en rendaient coupables au moment même où leurs propres succès engendraient un dynamisme nouveau qu'ils ne pouvaient plus contrôler.

Et pour maintenir le modèle universitaire qui permettait de rendre cohérents tous les éléments de leur synthèse, les libéraux américains ont été conduits à supprimer les contradictions, à déformer la réalité et finalement à épuiser leurs ressources intellectuelles avec la même négligence qu'ont déployée les hommes de pouvoir pour maintenir le caractère mondial du système de *pax americana* dans lequel ils s'étaient imprudemment engagés. Et il n'est pas complètement injuste que la contestation apocalyptique actuelle s'en prenne désormais à eux. Si absurde que soit cette contestation, elle joue un rôle indispensable de remise en cause pour une méthode et une logique incapables de se renouveler.

C'est la tragédie vietnamienne finalement qui a ruiné graduellement toute la construction libérale. Mais ce hasard n'a fait finalement que précipiter les choses. L'épuisement si visible du modèle archétypique du libéral que représentait Humphrey[1] aux dernières élections présidentielles est plus profond. On sentait qu'avec lui toute une époque commençait à s'effacer.

La société française n'a pas connu la splendeur du libéralisme américain triomphant. Les succès de la synthèse républicaine et socialiste qui lui faisait écho n'ont jamais été que partiels et temporaires. Mais la même usure profonde semble avoir affecté les courants socialistes, radicaux, « fédérés » et centristes entre lesquels il se partage. L'échec de la tentative Defferre a préservé les « libéraux » français de responsabilités trop difficiles. Mais l'épuisement de toutes les forces de renouvellement qu'ils n'avaient pas su accueillir

---

1. Le choix de Humphrey comme exemple peut paraître arbitraire, mais déjà les Kennedy commençaient à s'écarter du modèle que par beaucoup de côtés Eugen McCarthy, malgré son opposition à la guerre, finalement respectait. C'est certainement une tragédie profonde que leur disparition ait rendu impossible un renouvellement qu'ils étaient peut-être en mesure d'amorcer.

paraît général et la fatigue intellectuelle de l'équipe Mendès-Defferre aux dernières élections présidentielles était aussi visible que celle de Humphrey et paraît bien suffisante pour expliquer leur échec.

POUR UNE NOUVELLE MÉTHODE INTELLECTUELLE

C'est au niveau de la méthode intellectuelle finalement que se situe la plus grave responsabilité et les meilleures chances de renouvellement. La crise que nous vivons met en question les partis du mouvement dans les sociétés occidentales et avec eux un des éléments essentiels de notre philosophie de l'action. Elle nous atteint donc au plus profond, car le maintien et la survie de nos sociétés dépendent de leur dynamisme.

On répond à cette crise à mon avis de façon tout à fait erronée en mettant en cause les objectifs, l'idéologie et les principes moraux, sur lesquels cette philosophie reposait. En réalité, ce qui fait problème, c'est le type d'action et la méthode intellectuelle qui le sous-tend. C'est ce qui rend si difficile à l'ensemble social d'y répondre au moins dans un premier temps. Comme on ne peut percevoir les sources du malaise qu'on ressent et comme on ne peut vraiment attaquer les principes ou proposer les alternatives idéologiques sérieuses, la volonté de renouvellement devient une rébellion sans cause.

Si nous prenons l'exemple des Etats-Unis, la responsabilité de l'effondrement de la synthèse libérale doit être recherchée dans le couple des deux méthodes opposées sur lesquelles elle s'appuyait : l'incrémentalisme [1] et la planification politique globale.

---

1. L'incrémentalisme peut se définir comme la méthode qui consiste à ne jamais considérer l'action collective qu'à partir des problèmes que pose l'ajustement mutuel de tous ses acteurs. Aucune action raisonnable ne peut être menée à partir de synthèse *a priori.*

L'incrémentalisme est au fond la rationalisation des pratiques d'ajustement mutuel de la démocratie pluraliste à l'américaine. C'est une extension de la philosophie des économistes libéraux à l'ensemble des activités collectives publiques. On peut démontrer grâce à elle que comme dans un marché, l'ensemble des micro-ajustements de toutes les parties donne un résultat meilleur que toute planification ou coordination *a priori*.

Il convient donc de renoncer à toute « politique » et de se contenter de calculer les coûts et avantages à la marge pour chaque problème et en fonction des pressions des diverses parties en cause[1].

Une telle règle d'action suppose un univers parfaitement neutre et rationnel, sans attachement, dépendance ou viscosité particuliers. Elle peut être invoquée comme idéal un peu dans le sens de l'idéal du dépérissement de l'Etat : ce serait un grand progrès si l'ensemble des actions de tous les joueurs du jeu social pouvait être parfaitement neutre et rationnel et il faut faire tous les efforts possibles pour avancer dans ce sens. Mais elle ne correspond absolument pas à la réalité car, à tous les niveaux où se passe une action, on peut découvrir des relations de dépendance et des nœuds de pouvoir qui faussent le jeu et, si de grands progrès apparaissent possibles, il semble difficile qu'on puisse totalement les supprimer. En conséquence, dans le contexte occidental actuel, l'incrémentalisme aboutit fréquemment à des résultats en contradiction totale avec les objectifs des libéraux, soit des escalades aveugles dont le Vietnam n'est qu'un exemple, soit plus souvent à la constitution et au développement de cercles vicieux de pauvreté, de stagnation économique et de régression culturelle et sociale[2].

1. C'est Charles Lindblom qui a le mieux formulé cette méthode dans *The Intelligence of Democracy*.
2. L'incrémentalisme n'a jamais été présenté en Europe comme une méthode consciente, mais il n'en constitue pas moins en fait, tout autant qu'en Amérique et avec plus de conséquences défavorables encore peut-être, le fondement de l'action politique pratique.

La planification politique globale, les programmes d'action cohérents, satisfont naturellement davantage l'esprit. C'est autour d'eux que s'opère la synthèse ou les synthèses successives. Mais il y a toujours une contradiction profonde entre la volonté de globalisme qui les anime et la pratique d'une application « incrémentale » sur laquelle ils doivent s'appuyer. D'autre part et surtout, l'extraordinaire difficulté du raisonnement *a priori* qu'ils supposent a pour conséquence naturelle qu'ils se fondent généralement sur des connaissances superficielles et des extrapolations hâtives avec comme seul ciment réel une nécessité très arbitraire de cohérence.

C'est à ce niveau global que s'est engagée et perdue cette « partie » de convergence artificielle qui n'a fait finalement qu'exacerber les conflits.

Mais pour dépasser cette opposition incrémentalisme-globalisme, il faut refuser le dilemme et chercher le renouvellement au-delà des principes et des plans globaux d'action dont l'impact est toujours beaucoup plus faible qu'il ne semble, dans l'analyse des régulations réelles des multiples systèmes sur lesquels on doit agir et où l'action ne peut jamais se faire qu'incrémentalement [1].

La méthode intellectuelle autour de laquelle nous achoppons, c'est la méthode qui nous permettrait de découvrir les points clefs de ces systèmes de façon à pouvoir y concentrer les ressources libres de la société ou de ses divers segments autonomes capables d'action. De telles ressources toujours trop faibles ne doivent pouvoir être engagées qu'aux points d'application où elles seront les plus efficaces. Il ne s'agit pas de substituer un morceau de puissance publique au système déjà à l'œuvre ou d'ajouter à côté de lui un nouveau système, mais de contribuer pour l'action

1. Le relatif et temporaire succès de la planification française tient essentiellement au fait qu'elle n'a jamais été que partiellement un modèle abstrait et artificiel, mais a réalisé, du fait même des contraintes auxquelles elle était soumise, une combinaison plus modeste et plus raisonnable entre l'incrémentalisme des commissions et le globalisme des vues et des extrapolations civilisatrices de l'état-major.

envisagée à changer ses règles du jeu de façon que le nouveau jeu donne des résultats différents.

C'est aussi la méthode qui devrait nous permettre de lancer et d'animer des processus d'apprentissage, au niveau institutionnel ou plus généralement collectif, analogues à ceux que l'on est capable de déclencher au niveau individuel. Les systèmes multiples qui constituent les unités de l'action collective sont formés d'hommes capables d'apprendre individuellement, mais dont les jeux collectifs échappent à toute intervention consciente et rationnelle. Or, c'est la transformation de ces règles de jeu qui constitue le seul progrès possible acceptable dans la perspective démocratique que malgré les apparences personne n'a jamais songé à remettre en question.

Sommes-nous capables de ces progrès ? Oui, certainement. Nous savons peu de choses encore sur les modes de régulation de la plupart des systèmes, parfois même sur leur existence. Nous sommes incapables de maîtriser intellectuellement l'analyse des systèmes de systèmes que constituent les ensembles les plus vastes sur lesquels doit s'exercer l'action. Mais le fait que de nombreuses expériences d'analyses de systèmes ont démontré que l'on peut décoller de l'incrémentalisme au niveau opérationnel constitue déjà en soi un fait réconfortant.

Prenons l'exemple le plus simple, celui du sous-développement d'une région ou d'un secteur économique.

Le problème n'est « en soi » ni un problème de tarification (ou de prix des matières premières) ni un problème d'investissement. C'est tout cela à la fois ou bien plus (ou bien moins peut-être) selon les cas. Mais tout cela de façon tout autre, c'est-à-dire comme le problème d'un système. Dans cette perspective, ce que l'on découvre à la racine de la stagnation à laquelle on veut porter remède, c'est toujours un ou plusieurs cercles vicieux de rapports humains dans lesquels les résultats défavorables obtenus collectivement par les acteurs ne font que renforcer le ou les modes de conduite qui sont la cause de leur mauvaise coopération. Tout fonctionnement de système comporte une part de cercle vicieux, mais si cette part dépasse un point critique, l'ensemble humain qui en est affecté se trouve engagé dans un processus cumulatif de stagnation ou de régression qui comparativement au moins apparaît comme le signe du sous-développement.

Sur de tels processus, les moyens directs n'ont de prise que de façon aléatoire. Ainsi ne servira-t-il à rien de développer l'éducation si l'absence de débouchés conduit naturellement dans ce système à la fuite des élites, entraînant de ce fait l'absence d'initiative qui empêche de créer des débouchés. Si l'on voulait remédier à chacun de ces éléments-clef, on se trouverait engagé dans une immense entreprise dont le coût serait absolument prohibitif et dont les avantages mêmes seraient douteux car l'expérience montre que la situation d'assisté même temporaire entraîne la constitution de cercles vicieux de dépendance et d'impuissance.

Les principes d'égalité de traitement ou d'aménagement rationnel ou tout aussi bien ceux du socialisme révolutionnaire ou gestionnaire n'ont plus aucune utilité à ce niveau.

Mais nous savons bien pourtant que laisser jouer les mécanismes automatiques d'adaptation aboutira au maintien de la stagnation ou éventuellement à une régression dont les conséquences humaines ont quelque chose de scandaleux.

Notre problème est de trouver un mode d'action responsable entre la politique globale qui ne peut avoir prise sur la réalité qu'à travers une action bureaucratique extraordinairement coûteuse et inefficace et l'intervention « incrémentale » sur fond de laissez-faire qui ne permet de redresser aucune des inégalités, aucun des gaspillages qui non seulement entretiennent l'injustice, mais étouffent tout aussi bien les possibilités de création d'une grande partie des hommes. Cela signifie d'abord découvrir les « nœuds » de pouvoir, de dépendance et généralement de relations asymétriques qui existent au sein de l'ensemble humain en cause, leur équilibre et les possibilités que l'on a de le faire évoluer. Deux types de connaissances permettent de définir la stra-

tégie à adopter : la connaissance des modes de régulation
de ces relations ou plutôt du système humain dont elles sont
l'expression et la connaissance des modes possibles d'apprentissage de tels ensembles ou sous-ensembles humains.

Ces connaissances sont difficiles et nous sommes loin
encore de disposer du fond d'expérience et de théorie indispensables, surtout en matière d'apprentissage collectif. Mais
nous pouvons au moins affirmer qu'une bonne utilisation
de la capacité d'analyse déjà existante devrait nous permettre dans de très nombreux cas de déterminer les points
les plus sensibles du système que l'on veut faire évoluer et
de tenter d'opérer à beaucoup moindre frais les changements les plus propres à stimuler les processus d'apprentissage qui constituent la seule solution au problème. En
même temps, il apparaît tout à fait clairement qu'une bonne
partie des grands programmes de développement dans lesquels on s'était lancé jusqu'alors n'ont eu que très peu
d'impact, alors que toute une série d'actions de la puissance
publique ou d'acteurs sur lesquels on peut agir facilement
et qui concernent par exemple la réglementation de certaines activités essentielles, la création d'un milieu réceptif
à l'innovation ou la possibilité de faciliter la prise de risques
par certains individus ou groupes-clefs, ont été jusqu'à présent organisées de telle sorte qu'elles allaient exactement à
l'encontre du but recherché. Un changement d'orientation
des efforts jusqu'alors accomplis permettrait d'avoir, avec
des dépenses beaucoup moindres, des résultats beaucoup
plus positifs à long terme.

Quelle qu'en soit la difficulté, un tel raisonnement est
naturellement absolument indispensable, on commence à
le reconnaître, pour les problèmes urbains et pour les
problèmes de pauvreté. Mais de façon plus générale, le sous-
développement culturel, la situation de dépendance d'une
minorité sous-privilégiée, le problème plus général de l'éducation même requièrent pour être attaqués sérieusement
que l'on passe de la réflexion au niveau des principes à
l'analyse des systèmes à travers lesquels et des processus
grâce auxquels ces activités s'exercent et se transforment.

C'est seulement dans cette perspective que les partis du mouvement peuvent désormais se renouveler aussi bien en Europe qu'en Amérique. S'ils se refusent à accepter cette reconversion, ils ne pourront jamais en effet échapper à la logique des systèmes dans lesquels ils sont actuellement toujours enfermés. Entre les macro-décisions arrogantes et les micro-décisions aveugles, ils ne trouveront la voie d'une responsabilité plus limitée mais plus directe que s'ils abandonnent leur rationalisme étroit.

Une telle méthode ne permettrait pas bien sûr d'échapper à la logique des grands systèmes et à l'interrogation sur les fins dernières et sur les principes et idéologies qui les sous-tendent. Mais elle aurait au moins l'avantage d'offrir une perspective plus neutre, beaucoup moins dépendante, aussi bien des objectifs généraux que des contraintes pratiques qu'impose la logique des grands systèmes. Elle ne suppose pas de convergence *a priori* et n'engage pas irrémédiablement dans une telle voie, et de ce fait peut devenir un ferment de développement général en dehors des idéologies et en dehors de l'idéologie de la convergence.

CHAPITRE X

DES PROBLÈMES ET DES PRIORITÉS [1]

Diriger l'avenir, planifier le développement, vouloir prendre consciemment les décisions qui engagent l'avenir de la société, c'est-à-dire notre avenir et celui de nos enfants, c'est une tâche noble entre toutes. Tout le monde y souscrit comme tout le monde souscrit à la démocratie.

Mais devant les conséquences d'un tel idéal, tel qu'il doit s'incarner dans la machinerie du Plan et dans l'action bureaucratique de l'Etat qui en découle, le simple citoyen est pris de malaise et même d'angoisse.

Cette action en effet suscite naturellement en lui deux réactions contradictoires dont l'importance est décisive, car ce sont elles finalement qui commandent l'orientation de toute notre politique :

— l'effroi devant la complication et les contraintes de la vie moderne qui pousse à demander toujours davantage de garanties et de protections ;

— la présomption qui consiste à croire que les grands objectifs de l'espèce humaine sont simples et qu'il suffirait de se mettre d'accord sur eux pour imposer enfin l'ordre idéal.

Ces deux pressions commandent la signification profonde d'une politique qui consiste à la fois à protéger tout le monde contre l'évolution et à prétendre la gouverner au nom d'un idéal sur lequel personne n'est capable de se mettre d'accord.

Le Plan doit servir à dépasser cette contradiction dans

1. Ce chapitre est le développement du premier rapport présenté au groupe « Prospective » du commissariat général du Plan.

laquelle nous nous enlisons et sa première tâche doit consister à comprendre la logique de cette évolution sur laquelle les dirigeants prétendent agir.

Il ne s'agit pas, comme on l'a fait trop souvent, jusqu'à présent, de se contenter d'une analyse de l'évolution économique, quitte à faire de l'économie la servante d'un idéal philosophique. L'idéal philosophique comme l'économie se placent dans une évolution beaucoup plus large et finalement plus concrète, l'évolution des rapports humains.

C'est cette évolution à laquelle nous devons faire face.

LES DEUX GRANDES TENDANCES DE L'ÉVOLUTION

Nous avons tendance généralement à voir l'homme moderne comme un homme accablé de servitudes. Partout les bureaucraties nous menacent, les super-autoroutes nous dirigent, les loisirs sont massifiés et la pensée elle-même manipulée.

Cette vision est parfaitement illusoire. Si nous essayons de faire une comparaison un peu sérieuse dans le temps — un examen de conscience de l'espèce humaine —, les deux grandes tendances qui se marquent le plus dans toutes les activités humaines, c'est *la liberté* : les hommes sont de plus en plus libres de choisir entre un nombre de possibilités de plus en plus grandes, et *le calcul* : ils sont en contrepartie obligés constamment de prévoir le résultat de leur action et d'en calculer le coût.

Mon affirmation peut surprendre dans un univers intellectuel dominé par les fantasmes du conditionnement et de la manipulation.

La liberté de choix.

La caractéristique essentielle d'une société moderne, c'est la multiplication des échanges matériels et spirituels entre les hommes. On le voit bien quand on analyse la fascination que nous éprouvons tous pour la grande ville. C'est très beau de rêver à la campagne, mais si nous préférons la ville c'est à cause de son extraordinaire richesse de contacts et de stimulation.

Mais pourquoi une telle richesse serait-elle naturellement le signe d'une grande liberté ?

Comparons, pour la comprendre, le comportement de l'homme d'une société rurale villageoise d'avant l'ère industrielle et celui de l'homme de la très grande ville, la meilleure image de la société post-industrielle de demain.

Membre d'une petite communauté, l'homme d'une société villageoise est enfermé dans un ensemble de relations limitées. Il peut quitter sa communauté, bien sûr, mais à un prix matériel et émotionnel très élevé, et ce ne sera que pour une communauté après tout semblable à la sienne.

La conséquence principale de cet état de fait est souvent mal perçue. L'homme de la société villageoise n'est pas seulement privé de choix parce que le nombre des êtres humains avec qui il a des chances de pouvoir s'associer est très limité, mais parce que l'impossibilité dans laquelle il se trouve de changer de partenaires ne lui permet pas de prendre le moindre risque dans les relations dans lesquelles il se trouve engagé. Il peut très difficilement apprendre à travers une expérience qu'il lui est impossible de clarifier. Il est donc obligatoirement condamné à la résignation et au refoulement, et son expérience humaine se trouve de ce fait très diminuée.

Cette situation se rencontre encore très fréquemment pour une partie importante de la population des sociétés les plus avancées dans les îlots territoriaux, professionnels, sociaux ou même raciaux, qui se trouvent encore dominés par un système de relations très pauvres. L'existence de ces « isolats » culturels est un des obstacles les plus grands au développement.

L'homme de la société métropolitaine, tout au contraire, dispose d'un éventail de choix beaucoup plus vaste et pour l'avenir au moins presque illimité. En outre, et surtout, il est beaucoup plus libre au sein de chacune des relations qu'il a choisies. A partir de la liberté de choix de son emploi, de son conjoint, de ses amitiés, qu'on pourrait qualifier de liberté au premier degré, il a acquis une liberté au second degré qui consiste avant tout à pouvoir s'exprimer avec moins de gêne et moins de crainte dans chacune de ces relations. Et déjà on entrevoit la diffusion d'une liberté à un troisième degré dans la disponibilité à expérimenter et à innover et dans la capacité à dépasser les déterminismes sociaux.

Ces libertés toutefois sont totalement différentes de la conception que l'on avait autrefois de la liberté. Dans une société où les échanges sont très limités, donc astreignants et donc dangereux, l'individu est tenté de rechercher sa liberté dans le retranchement et dans l'indépendance à l'égard d'autrui. Dans une société où les échanges sont beaucoup plus riches, et libres, ils deviennent en même temps moins menaçants, et c'est dans la multiplication des relations et des contacts que l'homme apprend à trouver sa liberté. Plus il a de relations différentes, moins il risque d'être dépendant.

Mais la liberté de choix exige le calcul rationnel.

Seuls le calcul et la mesure permettent en effet le contrôle des activités humaines par la sanction du résultat, et non plus par ces restrictions à la liberté que constituent la contrainte hiérarchique, la pression idéologique et la manipulation de l'information.

Mais, malgré les apparences, cette transformation apparaît extrêmement difficile, car elle ne peut pas être appliquée seulement d'en haut comme une contrainte imposée. Elle ne peut se développer que par une conversion de l'individu qui va en être l'objet. Il s'agit pour lui d'apprendre lui-même à calculer rationnellement avec et contre les entreprises collectives auxquelles il va participer.

Cet apprentissage n'est possible que si en même temps

la liberté de choix s'accroît ; il a été longtemps paralysé par la crainte qu'éprouvaient les dirigeants à laisser cette liberté se développer.

LES PROBLÈMES DE L'INDIVIDU

Cette vision de l'avenir n'est pas du tout celle d'un monde idyllique, comme ce raccourci pourrait le faire croire.

Elle ne fait pas bon marché des innombrables désagréments que subit l'homme moderne et du prix extraordinairement élevé qu'il paie pour sa liberté.

Le problème en effet n'est pas de se plaindre et de dénoncer, mais de comprendre. Si nos difficultés sont aussi grandes, c'est que ce type de liberté associé au calcul est extraordinairement difficile à assumer.

On commet en général un contresens à ce propos. On suppose que les hommes sont naturellement passionnés de liberté et que c'est l'oppression ou le conditionnement de la société qui les empêche de l'obtenir.

En fait, nous avons tous peur de la liberté, et tout autant de celle d'autrui qui introduit trop de variables incontrôlables dans nos arrangements personnels, que de notre liberté qui constitue pour nous le plus angoissant des risques.

Dans la société encore traditionnelle du XIXᵉ siècle, les individus se trouvaient protégés par les barrières de classe, de caste, de formation, qui restreignaient énormément la concurrence. Dans la plupart des cas, les carrières, les destins individuels se déroulaient à l'intérieur de marchés réservés. Certes, il restait des ressources pour les gens aventureux, mais la part de déterminisme, d'enracinement ou de népotisme, comme on veut, était propondérante. Dans la mesure où les privilèges s'amenuisent ou disparaissent, dans la mesure où les barrières cèdent et les entraves à la liberté de choix disparaissent, la concurrence devient beaucoup plus vive et les individus perdent une bonne part de leur sécurité.

Des garanties impersonnelles, il est vrai, leur sont données, qui leur assurent une sécurité matérielle parfois beaucoup plus grande. Mais ces garanties n'ont que peu d'impact sur la sécurité psychologique et sur la conscience de soi. Ce ne sont pas elles, tout au contraire, qui peuvent résoudre ou atténuer la crise d'identité que provoque la croissance de la liberté, c'est-à-dire la croissance de l'incertitude.

La multiplication des échanges, d'autre part, si elle enrichit les individus et leur permet d'accéder à un stade de développement plus élaboré, les force à un apprentissage difficile, lui aussi générateur de tensions très vives. Dans une société traditionnelle formée de groupes cloisonnés, où les échanges sont rares et difficiles, chaque individu s'identifie à son groupe d'appartenance, épouse ses querelles et ses conflits sans se poser de problèmes. Dans une société où les échanges sont multiples, le même individu participe à plusieurs réseaux et systèmes de relations mettant en jeu des groupes aux intérêts et aux points de vue contradictoires. Cela ne signifie pas que les conflits s'atténuent, mais qu'ils doivent être en partie intériorisés par les individus. La société comporte un beaucoup plus grand nombre de rôles impliquant des allégeances contradictoires. Même les individus dont le rôle est relativement simple ou isolé sont de toutes façons toujours partagés entre des points de vue opposés, ce qui leur permet certes d'échapper au déterminisme d'un milieu clos, dont tous les traits sont convergents, mais les oblige eux aussi aux incohérences, aux contradictions et à l'angoisse du choix.

Enfin, l'accroissement de la rationalité qui oblige chaque individu à calculer un nombre toujours plus grand des éléments de son comportement, ne va pas non plus sans transformer sa vie. D'une certaine façon, il est plus facile d'obéir et de s'installer dans la position du spectateur que de devoir, dans la liberté, se prendre soi-même comme instrument de ses calculs.

La contrainte a beau être d'un ordre tout à fait différent, ne plus être une contrainte de l'homme sur l'homme, mais une contrainte que les individus exercent sur eux-mêmes, il reste que la somme des contraintes est effectivement plus forte et qu'il faut aux individus des ressources humaines plus considérables pour s'en accommoder. L'apprentissage auquel nous sommes continuellement condamnés n'a rien à voir avec la standardisation qu'on nous décrit. Il devrait au contraire constituer une promotion. Mais il oblige à une mutation psychologique difficile.

Quand l'individu ne peut plus se trouver d'échappatoire ou d'alibi, le problème du risque de l'échec et de l'explication de l'échec devient de plus en plus pénible, sinon insupportable.

NOUS AVONS BESOIN DE NOUVELLES CAPACITÉS COLLECTIVES

Le problème prend la dimension d'une crise de civilisation, dans la mesure où la pression irrésistible vers la liberté de choix individuel provoque l'effondrement des formes de contrôle social traditionnelles comme les tabous sexuels, tandis que le développement du calcul rationnel fait apparaître le besoin de nouveaux contrôles. Plus nous prenons conscience des conséquences de nos actes, plus la pression se fait forte pour éliminer les risques qu'ils entraînent — que ce soit par exemple en matière de santé, d'éducation, de pollution ou même en matière culturelle ou raciale.

Mais c'est justement à ce moment que nous font défaut les principes traditionnels au nom desquels il était autrefois possible de contrôler l'action de ses semblables. Une seule réponse peut être donnée à cette impossible contradiction : la constitution d'ensembles humains capables de supporter des tensions et des contradictions plus fortes.

Ma formulation peut choquer par son apparent caractère tautologique, mais qu'on y réfléchisse bien, tout ensemble humain a toujours dû répondre, pour se gouverner, à des exigences contradictoires : droits de l'individu contre besoins du groupe, besoin de contrainte et de sécurité contre besoins de motivation et de participation, stabilité contre innovation...

Ce dont nous avons besoin désormais, c'est d'une capacité nouvelle au niveau des organisations ou des systèmes dont nous faisons partie pour faire face plus consciemment à des contradictions beaucoup plus directes et beaucoup plus claires.

Cette capacité organisationnelle n'est pas du tout une donnée naturelle ; elle est une conquête humaine, le fruit d'un long apprentissage. C'est seulement à travers son développement que les hommes peuvent à la fois devenir plus libres et supporter les conséquences de la clarté de leur choix et de la mesure de leurs résultats.

A cette capacité organisationnelle, on peut ajouter une « capacité systémique » qui consiste dans l'aptitude à élaborer et à maintenir les règles, les coutumes, les systèmes de rapports humains et les procédés de contrôle social, sans lesquels un ensemble social est incapable de faire apparaître et de traiter les problèmes qui sont les siens.

Capacité organisationnelle et capacité systémique, une fois encore, ne sont pas les conséquences du développement, mais en constituent la première et la plus essentielle condition. Une société n'est capable d'avancer, de tolérer plus de liberté et de clarté des engagements humains, que si elle développe la capacité organisationnelle ou « systémique » d'y faire face.

LA SOCIÉTÉ FRANÇAISE FACE A L'ÉVOLUTION

Toutes les sociétés, même les plus avancées, ont d'énormes difficultés à faire face aux problèmes que pose l'évolution vers cette plus grande liberté et cette plus grande rationalité des rapports humains. Mais la société française se trouve, du fait de ses blocages traditionnels, dans une situation particulièrement critique. Elle cumule en effet les problèmes traditionnels de stratification et de centralisation qui lui sont propres avec les problèmes nouveaux que lui impose l'avènement du monde de la liberté et du calcul. Mal adaptée à la société industrielle, elle se trouve confrontée déjà aux problèmes de la société post-industrielle. En même temps et paradoxalement, elle paraît incapable d'admettre que la source de ses difficultés tient avant tout à la grande faiblesse de sa capacité d'action collective et très peu désireuse d'y porter remède.

Cette complaisance et cette répugnance au changement sont aussi marquées en matière de relations entre groupes sociaux, dans ce qu'on pourrait appeler la capacité systémique de l'ensemble français, qu'elles le sont en matière de capacité organisationnelle des entreprises et des administrations.

Nous avons déjà abondamment discuté de la faiblesse des organisations françaises. Formelles, rigides, incapables de mettre en place des réseaux de communication et de participation efficaces, elles gaspillent leurs ressources et sont beaucoup plus orientées vers l'exploitation des avantages acquis et des rentes de situation que vers l'adaptation aux circonstances, l'utilisation des opportunités nouvelles et l'innovation. Elles ne favorisent en conséquence ni le développement de la liberté de leurs membres, ni celui de la rationalité de l'ensemble social.

Enfin, leur capacité de croissance est faible. Tout le monde reconnaît l'insuffisance de taille des entreprises françaises. Mais on a tendance à croire que leur faiblesse tient à leur petite taille, alors que c'est en fait exactement l'inverse : c'est parce qu'elles n'ont pas la capacité organisationnelle nécessaire qu'elles sont incapables de croître et que, quand on les pousse trop vite à croître, par exemple en les obligeant à fusionner, leur faiblesse réelle s'accroît avec la lourdeur d'un appareil bureaucratique divisé.

Ce qui est vrai pour les entreprises est naturellement *a fortiori* tout aussi vrai pour les administrations, les universités, les hôpitaux et toutes les autres organisations françaises, dont la lourdeur et l'inefficacité retentissent non seulement sur leurs progrès propres, mais aussi sur celui de l'ensemble de la société.

Mais il faut insister peut-être davantage sur la capacité

« systémique » de l'ensemble social français, c'est-à-dire sur la possibilité pour la société française (ou pour les sous-systèmes qui la composent) d'instaurer entre les multiples groupes, organisations, classes ou secteurs entre lesquels elle se divise, des rapports de communication, de négociation, de conflit et de coopération qui permettent la connaissance exacte des faits, la prise de responsabilité réelle des partenaires, et qui conduisent de ce fait à l'élaboration d'un jeu plus constructif.

Cette capacité systémique est particulièrement faible en France. On a l'impression dans tous les domaines, et particulièrement dans le secteur intégrateur par excellence, le secteur politique, d'être dominé par des machines très lourdes, à la fois fragiles et extraordinairement résistantes. Les contacts y sont difficiles, les relais forment écran, on communique à travers un langage pour initiés, on ne discute que de faux conflits, et l'ensemble possède une force d'inertie extraordinaire. Jamais ces « machines » ne peuvent être ébranlées dans leur marche habituelle, elles découragent les meilleures bonnes volontés et stérilisent toutes les initiatives.

En revanche, quand un hasard en a mis une en marche, il est absolument impossible de l'arrêter, ou même de corriger ou d'infléchir sa course.

Prenons l'exemple de partis politiques ou de syndicats. Ce sont des organisations confuses, mal intégrées et mal gérées[1]. Mais cela ne les empêche pas d'être rigides, tout au contraire. Pour pouvoir mobiliser des adhérents dans la situation d'impuissance qui est la leur, il leur faut faire appel à l'idéologie. C'est seulement grâce à la ferveur sectaire qu'elles peuvent recruter et garder le minimum de militants responsables. Mais ces militants bénévoles sont ainsi investis d'une tâche qui constitue une contrainte épuisante pour leurs organisations. Gardiens de l'idéologie qui constitue le seul soutien de leur action, ils tendent à paralyser les diri-

---

1. Le parti communiste naturellement fait exception sur ce point, mais tout le monde admettra que sa bonne gestion et sa surintégration ne peuvent qu'accroître une rigidité qui lui interdit à lui aussi tout échange fructueux et novateur avec l'environnement.

geants, à qui ils enlèvent toute possibilité d'action autonome, et à rendre impossible tout contact avec la base. Ils se figent inéluctablement dans le rôle d'écran, bloquent la communication dans un langage obscur et introduisent ainsi une rigidité insurmontable. Cette rigidité se trouve encore augmentée par la fragmentation de ces organisations qui sont incapables d'agir seules, mais ne peuvent pas davantage communiquer entre elles.

Un tel système est en même temps extrêmement fragile et sensible à tous les chantages. Le fossé se creuse entre dirigeants et dirigés. Il devient impossible de prendre des décisions et l'ensemble se trouve à la merci d'un mouvement démagogique qui peut en rendre les mécanismes complètement aberrants pour quelques mois ou même quelques années.

Ces mécanismes ne sont pas propres aux syndicats ou aux partis ; ils existent plus ou moins dans tous les organismes volontaires et au second degré dans l'ensemble social comme système organisé, et c'est leur influence qui permet d'expliquer l'irréalisme, la confusion et l'impuissance dont nous souffrons. Incapables de s'engager et de se décider, les dirigeants expriment constamment des positions publiques rigides sans rapport avec leurs sentiments privés.

Les conséquences de cette faiblesse de la capacité collective du système social sont désastreuses : incapacité à accepter la vérité des faits, incapacité à décider, incapacité à traiter les vrais conflits.

La difficulté à connaître les rapports sociaux et les rapports humains réels est un trait essentiel de la société française. Elle tient directement à la faiblesse de capacité collective du système qu'elle forme. Dans aucun pays occidental, on ne trouve une telle distorsion entre les images officielles (qu'elles soient professées par les dirigeants ou par leurs opposants) et la réalité. Dans aucun pays, il n'y a une telle confusion dans l'ensemble des circuits de décision. Dans aucun pays, on n'a une telle répugnance à analyser la réalité de leurs mécanismes.

Paradoxalement même, on a l'impression que la connaissance que la société française a d'elle-même est plus faible actuellement qu'elle ne l'était en 1900. Pour décider la construction du premier métro, le dossier a été vraiment ouvert, des études sérieuses, dont la justesse a été confirmée par les résultats de l'exploitation, ont été présentées au public et discutées. La construction du R.E.R., en revanche, a été décidée dans la confusion. Certaines études économiques essentielles ont été faites après coup et n'ont pas été portées à la connaissance du public.

Si l'aménagement urbain est, avec l'Université, le domaine de la confusion la plus caricaturale, on rencontre un peu partout la même incapacité à regarder la réalité en face, que ce soit en matière de revenus, d'investissement ou de rapports sociaux.

Ce système incapable de voir les faits est en même temps un système incapable de décider. Pour garder sa liberté de décision, « le décideur » se fait protéger par une série d'écrans, mais s'il reste libre, il n'a plus de connaissance concrète, il est coupé des mécanismes essentiels qui vont opérer dans les situations qu'il va affecter. Malgré ces apparences autoritaires, cette orientation bureaucratique n'aboutit qu'à affaiblir les « décideurs », car en l'absence d'une connaissance suffisante des faits, tous les arguments sont possibles et les réseaux de décision se trouvent continuellement engagés dans des négociations interminables autour d'arguments rhétoriques que la connaissance des faits ne permettra jamais de départager, et l'on se détermine généralement à partir de faux conflits et en ignorant toujours trop longtemps les problèmes auxquels sont confrontés les responsables opérationnels.

Le phénomène est devenu pathologique. Chaque fois qu'un progrès semble devoir s'accomplir, dans le sens d'un peu plus de clarté, de rigueur et de liberté, on constate comme une instinctive régression vers le monde du secret, des privilèges et des rentes. Le système ne peut se passer des protections qui constituent les règles de son jeu. Mais ces protections sont toujours insuffisantes et le système tend à l'affolement, car plus on donne et plus on concède dans cette voie, plus les intéressés sont frustrés et plus ils réclament de nouvelles protections.

Si le diagnostic est juste, le problème essentiel de la société française n'est ni celui de croissance ni celui du régime politique ou du socialisme. C'est tout simplement le problème de la constitution et du développement d'une capacité collective répondant aux besoins d'une société complexe. Non que la croissance ou les objectifs « de civilisation » n'aient une importance primordiale. Mais le développement de la capacité « systémique » constitue de plus en plus la condition indispensable d'une croissance économique soutenue, comme de toute démocratisation de la société.

Aucune des grandes ambitions des réformateurs français n'a de sens tant qu'on n'ose pas faire face carrément à ce problème.

Mais comment pouvons-nous changer ? Comment pouvons-nous passer d'un système de jeu caractérisé par la méfiance, les malentendus et la confusion, non pas à un système de jeu idéal, mais à un système de jeu plus ouvert, plus simple et plus efficace ? Comment pouvons-nous apprendre collectivement ?

Jusqu'à présent, il semble que c'est à travers des crises que les groupes humains et les sociétés se transforment. Mais, en fait, la plupart des crises ne conduisent pas à un véritable apprentissage.

De ce point de vue, le drame de la société française dans les années à venir, c'est qu'elle est menacée d'une succession de ruptures qui risquent d'avoir plutôt une signification régressive, alors qu'elle aurait la possibilité d'effectuer une mutation décisive si ces ruptures pouvaient devenir des crises constructives, à partir desquelles des processus d'apprentissage pouvaient se déclencher.

Le vrai rôle d'un gouvernement dans l'ensemble social, comme celui de tous les groupes dirigeants dans les organisations et institutions dont ils sont responsables, ce serait donc en l'occurrence de provoquer des crises au bon moment dans le bon secteur et dans la bonne perspective et de faire

préalablement et parallèlement les investissements institutionnels nécessaires pour que les individus et les groupes
concernés soient capables d'en tirer parti.

CRISES ET INVESTISSEMENTS NÉCESSAIRES

L'éducation, bien sûr, est le premier des investissements
institutionnels. Mais pas n'importe quelle éducation. Nous
agissons comme si seule la formation technique et rationnelle
permettait la promotion humaine. En fait, la formation dont
dépend le plus la capacité organisationnelle et systémique,
c'est-à-dire la capacité de développement d'une société, c'est
la formation qui permet d'améliorer la capacité psychologique des individus, à accepter les tensions, les conflits et les
compromis, à dépasser la méfiance, à s'ouvrir aux contacts
et à assumer plus de liberté. La formation des Français
dans ce domaine est particulièrement faible. Leurs capacités
psychologiques personnelles sont tout à fait inadaptées aux
problèmes qu'ils ont à résoudre. Derrière l'apparente solidarité ouvrière, tout autant que derrière la logique des
castes, se cache une très grande méfiance à l'égard d'autrui.
Mais l'éducation n'est qu'une des faces du problème, elle
resterait sans effet si aucun investissement parallèle n'était
effectué dans de nouvelles formes d'organisation et de relations. Toute expérimentation coûte cher, mais sans expérimentation il n'est pas possible d'accélérer le développement.
La faiblesse de la capacité organisationnelle française est
telle qu'un immense effort d'expérimentation doit être accompli pour que nous sortions des cercles vicieux d'impuissance et d'opposition, dans lesquels se débattent toutes nos
institutions.
Enfin, la société française souffre de la permanence d'un
mode de raisonnement intellectuel en correspondance étroite
avec une tradition hiérarchique et déductive tout à fait
anachronique, et l'investissement institutionnel doit se conce-

voir tout aussi bien en matière d'institutions intellectuelles, car c'est de leur fonctionnement que dépend l'élaboration d'un nouvel outil intellectuel mieux adapté à nos problèmes.

Mais c'est autour des structures qui conditionnent les règles du jeu des hommes au sein des groupes ou des organisations au sein du système social que se joue le succès d'un apprentissage collectif. Et à ce niveau, les investissements à faire devraient se faire à travers des crises.

Les structures territoriales.

La première de ces crises constructives devrait être provoquée autour des structures territoriales. Nous sommes effectivement allés au bout de la centralisation, au point d'être désormais complètement bloqués dans un système que nous n'arrivons plus à réformer [1]. Ce système se caractérise par l'existence de toute une série de chaînes de dépendance qui, du sommet à la base, tiennent en tutelle tous les échelons qui deviennent ainsi hiérarchisés du pouvoir national, régional et local. Il n'existe dans notre organisation politico-administrative aucun pouvoir intermédiaire qui ait une autorité suffisante pour pouvoir prendre des initiatives et des risques au niveau de connaissance et de représentativité qui est le sien. Les décisions, en conséquence, sont toujours prises dans le cadre de chaînes hiérarchiques officielles ou officieuses, dont la clef de voûte se trouve dans les administrations centrales, et notamment au ministère des Finances. Tous les experts techniques d'autre part, auxquels doivent avoir recours les autorités locales, sont directement ou indirectement liés aux hiérarchies de la fonction publique. Si bien qu'aucune initiative collective publique ne peut exister en France, sans que ceux qui l'animent ne soient obligés de recourir aux autorisations de l'Etat, aux subventions de l'Etat et aux experts techniques de l'Etat.

Ce n'est pas que les fonctionnaires des Finances ou des

1. Toute réforme nouvelle ne fait que l'alourdir.

Ponts et Chaussées soient de mauvaise qualité, bien au contraire. Dès qu'on passe outre aux réactions épidermiques de défense des notables locaux, on s'aperçoit que ceux-ci n'ont qu'estime et respect pour la compétence et le dévouement que ces fonctionnaires sont à peu près les seuls à posséder. Mais c'est ce monopole même qui constitue la source essentielle de déséquilibre qui contraint tous les joueurs à un jeu de dépendance, de revendication et de malthusianisme.

Rarement, les initiatives locales ou régionales témoignent d'une véritable responsabilité. Leur objectif essentiel, c'est d'obtenir de l'aide sans prendre de risque. Et les responsables nationaux ne trouvent jamais en face d'eux, quelles que soient leurs bonnes intentions, qu'indifférence, apathie ou récriminations. Un tel système est extraordinairement résistant, car personne à aucun niveau n'est responsable de son maintien. Ce sont les revendications divergentes de chacun qui en constituent le ciment essentiel.

Le problème qui se pose désormais est celui des investissements institutionnels que la société française accepterait de faire à travers son gouvernement et son Administration pour expérimenter dans l'ordre territorial des systèmes de relations plus ouverts, dont les modalités de jeu soient favorables à la prise de responsabilité et à l'innovation. De tels investissements, si coûteux qu'ils soient, sont beaucoup plus rentables que l'éparpillement actuel des crédits décidés et contrôlés par les instances centrales.

Actuellement, un point de rupture est apparu au maillon intermédiaire le plus faible — le maillon régional. Un premier investissement très simple à ce niveau — l'élection d'assemblées régionales au suffrage universel direct — pourrait constituer le point de départ d'un processus d'apprentissage constructif. Certes, cet investissement serait en même temps l'engagement d'une crise. Mais cette crise pourrait être dirigée et orientée dans une voie de développement.

La difficulté essentielle est une difficulté psychologique. Le jour où l'on sera capable de la surmonter et de faire les efforts nécessaires pour que les assemblées créées disposent de toute l'aide dont elles auraient au début besoin, le jeu commencera enfin à s'ouvrir entre les administrations centrales, les services extérieurs des administrations, les préfets et les villes, alors pourra-t-on enfin faire avancer tous les problèmes de gestion dans lesquels nous nous débattons, et en particulier celui des finances locales.

Le système administratif.

Les investissements institutionnels sont naturellement tout aussi décisifs dans l'ensemble administratif.

Il ne suffit pas en effet d'obliger l'Administration à partager son pouvoir avec des pouvoirs locaux et régionaux suffisamment autonomes. Il s'agit aussi de briser les mécanismes traditionnels qui constituent une des sources de blocage essentielle de la société française.

La fonction publique est en crise, mais les affaissements que l'on constate, s'ils laissent le champ libre et invitent même à un renouveau institutionnel, ne constituent pas en soi une solution, tout au contraire.

Si nous laissons le processus se dérouler sans intervenir, nous assisterons à des crises de plus en plus régressives. Les parties fortes se replieront dans leurs privilèges et leurs prétentions, renforçant ainsi les rigidités de l'ensemble, tandis que les parties faibles s'affaisseront toujours davantage, et que le déséquilibre, l'impuissance et la confusion s'accroîtront.

Il faut enfin consentir à faire les investissements nécessaires dans la formation des hommes et dans le développement des institutions administratives, sans craindre les ruptures qu'ils ne manqueront pas d'entraîner. Avoir le courage de provoquer des crises reste désormais le seul moyen d'éviter les explosions.

Quel est le problème ?

Le système administratif, avons-nous montré, peut de moins en moins connaître la réalité, communiquer, mobiliser ses ressources, s'adapter ou innover, parce qu'il est fondé sur un principe de protection selon lequel ne peuvent prendre des décisions que des gens qui sont convenablement séparés des problèmes à traiter par des échelons tampons qui empêchent qu'ils aient à faire face directement aux conséquences de leurs actes, et parce qu'en même temps une séparation complète s'est instaurée entre la carrière des individus qui se trouve gérée par des règles bureaucratiques complexes et leurs performances réelles dans leur travail.

Nous savons bien comment remédier théoriquement à toutes ces accablantes insuffisances. Il s'agirait de restructurer la hiérarchie informelle (et même parfois formelle) de l'ensemble des administrations qui stérilise complètement l'activité des deux tiers au moins des services qui sont réduits à jouer le rôle d'échelon tampon pour le compte du ministère des Finances, de fractionner, d'autre part, l'immense monolithe en en détachant toutes les organisations dont le rôle est un rôle de production de biens ou de services ; ces organisations ne peuvent être efficaces que si elles sont gérées de façon totalement autonomes, et leur détachement allégerait beaucoup le fonctionnement du reste. Il s'agirait enfin de développer une véritable gestion des carrières appuyée sur des institutions de formation permanente efficaces et intellectuellement prestigieuses, capables de procéder constamment à l'évaluation des tâches et des performances et à l'analyse des conditions dans lesquelles elles s'exécutent, d'introduire, d'autre part, à tous les niveaux, de véritables cellules d'études capables d'apporter à tous les services les capacités d'analyse qui leur manquent encore et de stimuler leur créativité.

Mais de telles solutions ne sont possibles que si l'on a le courage de dégager les ressources nécessaires en hommes et en argent, pour que les réformes qu'on lance ne soient pas seulement des réformes juridiques ou même des changements d'organigramme, mais deviennent de véritables investissements institutionnels.

Retirer des pouvoirs à certains pour les donner à d'autres, remplacer des contrôles *a priori* par des contrôles *a posteriori*, reste totalement insuffisant. Il faut créer des organismes, des systèmes de relation vivants capables de se

réguler eux-mêmes, de croître et d'innover, et rendre ainsi
progressivement vie à des organisations complètement enli-
sées dans les rapports bureaucratiques. Il faut enfin développer une capacité systémique plus forte dans l'ensemble
administratif n'étouffant la voix de personne, mais forçant
chacun à s'exprimer et à jouer de façon responsable.

Il faut par exemple développer de véritables directions de
personnel formées de spécialistes conscients de leur rôle et
de leurs responsabilités, capables de conseiller, de persuader
et de guider les responsables opérationnels.

Les privilèges de castes.

L'un des nœuds du système administratif français, mais
aussi du système de gouvernement de l'ensemble social
français, c'est l'existence d'un certain nombre de Grands
Corps fermés, aux effectifs extrêmement restreints, qui acca-
parent par tradition, non seulement tous les hauts postes
de l'Etat, mais aussi la plupart des hauts postes du secteur
nationalisé et une partie de ceux des grandes entreprises.

Ce système est moralement en crise, dans la mesure où
les membres des Grands Corps n'ont plus la même foi profonde dans les vertus du système dont ils sont les bénéficiaires. Les jeunes générations en critiquent l'idéologie
morale, même si elles restent consciemment ou inconsciemment attachées aux privilèges dont elles bénéficient. De
toute façon, personne n'a plus le courage ou l'inconscience
d'assumer avec l'autorité indispensable un système dont le
fondement est aristocratique, si bien que l'ensemble s'écrase
de plus en plus de son propre poids et que son incapacité
à prendre des décisions et à avoir une politique [1] s'aggrave
de plus en plus.

L'existence du malaise que l'on peut constater permet de
penser qu'une crise pourrait être provoquée autour de la

---

1. Plus on parle de politique et moins on est capable, semble-t-il,
d'avoir la rigueur nécessaire pour travailler autrement qu'à travers
la technique du « coup par coup ».

réforme des Grandes Ecoles et des Grands Corps de l'Etat.

L'ébranlement dû à la crise du mois de mai rend possible des réformes plus profondes, si l'on veut bien créer et circonscrire la crise aux points centraux, où l'on peut effectuer réellement une réforme concrète et réussir à amorcer un vrai processus d'apprentissage.

Aucune rupture, aucun investissement institutionnel peut-être ne serait plus important qu'une transformation-rénovation de nos petites Grandes Ecoles cloisonnées, opposées et restrictives, qui ne peuvent plus faire le poids dans la compétition scientifique et même culturelle. Il ne s'agirait ni de les supprimer ni de les noyer dans un ensemble universitaire qui ne pourra se réformer que petit à petit, mais de faire fructifier le capital intellectuel considérable qu'elles représentent encore. Il serait certainement plus important pour l'avenir de notre économie de créer autour de l'école Polytechnique et de l'école Centrale par exemple deux grands complexes diversifiés mais vivants, d'un poids comparable au M.I.T. ou au Polytechnicum de Zurich, que de soutenir à grands frais des industries de pointe artificielles [1].

Mais la rupture du modèle des grandes écoles exige en même temps la rupture du modèle des Grands Corps. Car l'ensemble formation-recherche se trouve dominé (et stérilisé) par la régulation que lui impose le système des débouchés offert par l'Etat, seul habilité dans ce système, à distribuer les marques officielles d'excellence reconnues par tous.

Cette seconde rupture apparaît également possible si l'on sait reconnaître l'incertitude et le malaise qui règnent dans la haute administration, et qui peuvent permettre, même si la crise qu'elle entraînerait est difficile, la transformation radicale du système des Grands Corps. L'Etat doit pouvoir enfin se comporter comme un employeur ordinaire, accepter de recruter sur titres des diplômés issus des meilleurs

---

1. Le problème paraît très clair pour les écoles scientifiques, mais il est du même ordre pour l'E.N.A., pour l'école Normale supérieure et pour tous les systèmes de Grandes Ecoles et de Grands Concours qui dominent toutes les professions traditionnelles et empêchent les autres de se développer.

ensembles universitaires qui lui offrent ainsi la garantie d'un savoir réel dans les spécialités qui sont effectivement nécessaires, au lieu de s'engager et d'engager avec lui dans une relation anachronique de type clérical des jeunes gens dont l'atout essentiel va devenir leur conscience d'être supérieurs.

La plupart des dirigeants reculent devant l'ampleur de la tâche. Ils se croient en fait ou ils croient le gouvernement et l'Etat incapables d'assumer de telles responsabilités. Certes, les écueils sont extrêmement nombreux. Il faut craindre la politisation, il faut craindre le népotisme, il faut craindre le détournement de toute réforme dans l'esprit de tradition. Mais il ne faudrait pas non plus sous-estimer la capacité de développement et de renouveau. On peut trouver des réponses imparfaites mais raisonnables à tous ces problèmes [1], et les hauts fonctionnaires français seraient capables de réagir de façon constructive si on leur offrait un cadre nouveau, des objectifs plus dynamiques et des moyens réels pour les atteindre.

Le malaise des cadres.

La réforme des grandes écoles et des grands corps aurait des répercusions immédiates sur la direction des entreprises privées.

Mais dans les deux secteurs public et privé, un autre problème est en train d'évoluer vers un point de rupture, celui des cadres.

Dans le système bureaucratique dans lequel nous vivons, les échelons dits d'encadrement sont des échelons tampons, dont une bonne partie de l'activité se trouve détournée des objectifs communs de l'organisation, du fait du jeu politique joué au sein de la pyramide hiérarchique. Les cadres

1. La création d'une Commission de la Fonction publique disposant d'un grand prestige peut protéger les fonctionnaires contre la politisation. La constitution de Directions de personnel de très haute qualification peut empêcher les solidarités de clans de se substituer aux solidarités de corps.

actuels tirent leur influence et leur importance du fait qu'ils sont les intermédiaires obligés dans un ensemble gouverné par la hiérarchie et par le secret. Ils s'opposent donc naturellement à toute transformation de l'entreprise dans une perspective de souplesse, de clarté et d'efficacité plus grande. Les réactions à l'introduction de l'informatique nous en ont fourni un exemple particulièrement démonstratif.

Mais la pression irrésistible que la concurrence exerce pour imposer une efficacité plus grande ne peut pas être écartée. Beaucoup des cadres actuels répondent à la menace qui pèse sur leur rôle traditionnel en s'attachant désespérément à la vision paternaliste ancienne de la loyauté et de la fidélité récompensée. D'autres s'engagent dans des syndicats de cadres organisés sur le mode stratifié de la défense égalitaire du statut, d'autres enfin, moins nombreux il est vrai, réagissent de façon plus radicale en adoptant des revendications gestionnaires. Mais toutes ces réactions, qu'elles soient conservatrices ou révolutionnaires, expriment le malaise, plutôt qu'elles ne lui apportent une possible solution.

Le problème qui est vécu en effet est celui que nous avons mis en lumière de façon abstraite et générale : c'est le problème de l'apprentissage de la liberté et du calcul. Le comportement actuel des cadres français qui revendiquent sécurité et responsabilité, fidélité et initiative, est un comportement pathologique de fuite.

Les Américains qui ont connu ce problème à la fin des années quarante y ont répondu en transformant les méthodes de direction, de telle sorte que les cadres puissent faire partie du « *management* ». Il nous est possible peut-être d'inventer une autre solution, mais il est bien certain que nous devons effectivement répondre au malaise des cadres, et que cette réponse ne peut se faire qu'à travers une transformation radicale des méthodes de gouvernement des organisations.

Pour y parvenir, un immense effort doit être accompli par les entreprises, les administrations et toutes les organisations. Il s'agit là encore d'un investissement institutionnel qui doit s'opérer à la fois dans l'ordre de la formation :

former des hommes capables de faire face aux tensions qu'impose la liberté, et dans l'ordre du gouvernement : élaborer des structures et des règles du jeu qui rendent profitable aux individus de prendre des risques dans une perspective de coopération [1].

Le problème des privilèges et des rentes économiques.

Les spéculations scandaleuses, les profits abusifs, les déplorables inefficacités et les injustices criantes que nous constatons dans l'ordre économique correspondent pour la plupart à l'application dans le domaine des affaires des systèmes de privilèges dont nous avons analysé les mécanismes dans le domaine du marché des talents.

Notre système économique reste encore dominé dans un très grand nombre d'activités par des phénomènes d'accaparement, d'ententes, de restrictions, de concurrences, qui sont fondés en dernière analyse sur des modèles de stratification hiérarchique extrêmement conservateurs. A tous les niveaux, toute une série de règles légales, de mesures administratives et de complicités professionnelles restreignent considérablement les possibilités d'initiative des individus et des entreprises, au bénéfice des gens et des institutions établis.

Chaque profession, chaque secteur d'activité, a plus ou moins réussi à élaborer son modèle de *closed shop* [2]. Pour

1. Le problème est compliqué par le fait que l'ensemble direction-cadre se trouve très nettement favorisé dans son revenu par ce système. Si certaines performances exceptionnelles sont moins bien reconnues et rémunérées qu'en Amérique, par exemple, les performances moyennes sont extrêmement avantagées par rapport à la contribution des exécutants, et particulièrement des ouvriers. On peut donc penser qu'un intérêt matériel direct se trouve engagé dans ce mode de gouvernement. Mais on peut toutefois espérer que l'accélération de l'expansion, que l'amélioration du système de gouvernement des entreprises pourrait permettre, rendrait possible une meilleure répartition, sans que cadres et direction en soient brutalement victimes.

2. La *closed shop* est la règle imposée par les syndicats anglo-saxons les plus conservateurs et qui interdit l'accès de la profession à tous ceux qui ne sont pas porteurs de la carte syndicale. Comme

pouvoir vivre et prospérer, il faut faire partie du club. Mais l'entrée du club est interdite à tout nouveau venu.

L'Etat joue un rôle décisif dans le maintien de ces privilèges de castes dans le monde des affaires, d'abord à cause des liens qui existent au sommet entre castes administratives et castes patronales en second lieu, et surtout parce que les aides de l'Etat souvent décisives dans certaines professions sont gérées de telle sorte qu'elles bénéficient presque exclusivement à ceux qui peuvent avoir accès à l'appareil administratif, c'est-à-dire aux notables économiques. Elles servent donc très naturellement à maintenir les situations acquises et s'exercent la plupart du temps au détriment des initiatives vraiment nouvelles [1].

Les conséquences de ce système ne sont pas défavorables seulement pour le rapport des entreprises entre elles, elles s'exercent aussi sur la capacité d'initiative et sur les chances de succès des individus. Le fait qu'un ingénieur imaginatif ne puisse pas pratiquement quitter un patron qui ne lui donne pas sa chance pour fonder une entreprise concurrente est profondément stérilisant. Sûr d'avance que le système bancaire dominé par les solidarités traditionnelles lui refusera tout crédit, que ce n'est pas la peine de penser aux aides de l'Etat qui sont administrées par le club, l'ingénieur trop brillant s'égarera dans une diplomatie stérile ou dans les intrigues politiques.

Une réforme profonde du système réel de concurrence et des mécanismes d'innovation est donc indispensable si l'on veut donner à l'économie française plus de dynamisme et augmenter la capacité créatrice des cadres, ingénieurs et managers français.

la carte n'est accordée qu'à ceux qui ont déjà travaillé dans la profession, on conçoit qu'il ne soit guère facile aux membres d'une minorité, ou simplement à celui qui ne bénéficie d'aucune aide, de forcer le passage.

1. Bien sûr, il arrive assez fréquemment que des responsables administratifs dynamiques soutiennent passionnément une découverte, un procédé nouveau, une entreprise innovatrice. Mais ces exceptions n'apparaissent spectaculaires que parce qu'elles ressortent sur la grisaille d'un système condamné au saupoudrage le plus conservateur.

Un tel effort est-il possible ? Le malaise n'est peut-être pas encore assez apparent, sauf dans certains secteurs comme l'immobilier. Mais la prise de conscience des extraordinaires rigidités économiques et sociales de l'ensemble français commence à devenir possible. Il n'est pas de tâche plus urgente que celle qui orienterait la révolte naturelle de tous ceux qui sont instinctivement du parti du mouvement dans le sens d'une vraie réforme du système, au lieu de divertir et gaspiller leur énergie dans les jeux de l'idéologie.

Le problème de la fragilité
et de la rigidité systémique.

Nous avons déjà abordé ce dernier problème, le plus spectaculaire et le plus décisif peut-être. La société française oscille, d'une part, entre une stabilité qui confine à la sclérose, chacun des « socio-professionnels » ou des « forces vives » jouant par cœur et sans plus aucune conviction le rôle qui est le sien, et, d'autre part, l'affolement révolutionnaire où la plus confuse agitation brouille les rôles et perturbe la scène sans que les mécanismes de base soient jamais ébranlés.

Le système est malade, il est d'une pauvreté consternante et ne répond plus aux besoins d'une société qui requiert que l'on tienne compte à la fois d'un beaucoup plus grand nombre de besoins et d'une série de variables plus complexes.

On n'y parviendra que si le circuit —membres ou administrés de base, militants, dirigeants — se trouve revivifié par l'abandon des facilités idéologiques et la confrontation constante des différents niveaux avec leurs partenaires, l'environnement et les autres niveaux sur les problèmes qui sont effectivement ceux de leurs mandants, et non pas ceux de la « grande cause ».

Lé décentralisation politique est une des conditions de changement, mais aussi et surtout une mise en question des systèmes réels dans lesquels sont engagés les différents acteurs — systèmes qui sont très largement ignorés par tous les responsables.

Des crises, il est vrai, menacent l'équilibre d'ensemble de la société française dans les secteurs dont l'accélération du changement a rendu l'organisation complètement anachronique, comme l'agriculture, le petit commerce et un certain nombre de branches industrielles en déclin.

On y répond, pour un temps, par le palliatif temporaire des subventions ou des règles de protections restrictives. Mais le vrai problème est celui de la capacité innovatrice du système lui-même ; la capacité nouvelle pourtant bien réelle dégagée par le secteur agricole n'a jamais vraiment été utilisée et elle a été en fait découragée du fait de la méconnaissance totale du mode général de régulation du système humain que constitue l'agriculture française, et du fait de l'ignorance des processus de changement possibles d'un tel système. Dans le cas du petit commerce, on n'a même pas cherché à connaître comment les transformations actuelles pouvaient être vécues. On a condamné par principe, sans autrement chercher à comprendre.

Il n'est pas étonnant, en conséquence, que le cycle national du changement qui s'impose à la société soit un cycle comprenant dans l'ordre :

1. une attaque technocratique brillante et rigoureuse, mais aveugle et maladroite ;

2. une défense opiniâtre des intéressés également aveugle, mais mobilisant les sentiments de l'opinion jusqu'à l'extrême limite du sentimentalisme ;

3. la réussite d'un chantage sans vergogne d'autant plus efficace qu'il a l'appui de l'opinion ;

4. une négociation aveugle dont les résultats aléatoires ne sont même pas vraiment utiles aux intéressés.

Un tel cycle retarde l'apparition de solutions constructives ; il paralyse à la fois l'Etat et les groupes sociaux ; il interdit toute innovation et toute prise de risques.

Pour le transformer petit à petit, il faudrait pouvoir constituer des systèmes de relations, dans lesquels les divers antagonistes soient conduits à prendre conscience des nécessités systémiques, et à parier sur une évolution dont ils pourraient tirer parti.

Au lieu de blâmer les opposants mesquins et retardataires, il serait plus utile de comprendre dans quel système de relations économiques et de relations humaines les phénomènes petits commerçants, agriculture marginale ou entreprise familiale, ont pu se cristalliser, et de chercher à découvrir comment ces systèmes qui les ont rendus possibles peuvent évoluer et comment les intéressés peuvent apercevoir qu'ils ont intérêt à quitter le jeu de défense dans lequel ils s'obstinent finalement en pure perte.

Ici aussi, l'investissement institutionnel, l'investissement visant à développer la capacité du système à s'autogérer, est absolument essentiel.

POUR UNE STRATÉGIE DU CHANGEMENT

A travers le rapide examen des problèmes auxquels la société française devrait faire face et des crises qu'il serait important de provoquer pour qu'elle puisse y réussir, nous avons déjà constamment souligné la priorité essentielle à laquelle nous ne pouvons échapper : la priorité de *l'investissement* institutionnel.

Qu'on nous permette d'y revenir une dernière fois, car du choix de cette priorité dépend effectivement la réussite de la stratégie du changement que nous proposons.

Toutes les discussions que nous poursuivons en France sur les objectifs et les choix, que ce soit de politique industrielle, d'aménagement urbain, de planification ou de progrès social, tournent toujours autour des résultats auxquels on veut parvenir, c'est-à-dire de la définition de l'état final de la société, du secteur ou du problème que l'on est en train de considérer. On veut obtenir par exemple que l'université soit plus démocratique, que les dépenses de Sécurité sociale soient stabilisées ou que le secteur de la machine-outil devienne enfin compétitif. En fonction de ces objectifs, on ordonne les moyens disponibles et l'Etat maître d'œuvre se sent responsable d'une exécution qu'il s'efforce désespérément de contrôler, sans se rendre compte que les moyens qu'il emploie pour inciter, subventionner et contrôler, vont généralement à l'encontre du but qu'il poursuit.

Les problèmes de mutation qui sont posés à la société française ne peuvent pas être traités utilement de cette façon. S'il est bien vrai que l'acuité de ces problèmes tient d'abord à la faiblesse de la capacité organisationnelle et de la capacité systémique de l'ensemble français, le problème absolument essentiel de la société française c'est d'augmenter ces capacités collectives, c'est-à-dire de rendre les Français plus capables de coopération organisée et efficace. Ce que nous appelons investissement institutionnel, c'est l'effort douloureux, politiquement pénible et financièrement coûteux, pour aider à développer graduellement des systèmes de relations et de négociations, des ensembles de règles et de coutumes et des modèles de régulation plus complexes, plus ouverts, plus compréhensifs et plus efficaces.

L'investissement institutionnel est direct quand il s'agit d'un système dans lequel le rôle de l'Etat est central ; il peut être très indirect quand il s'agit d'un milieu économique dont les rapports avec la puissance publique sont marginaux ou quand il s'agit des problèmes internes d'organisations privées. Mais le rôle de l'Etat est si considérable désormais dans l'ensemble français, à la fois dans l'ordre financier, dans l'ordre de la réglementation et dans l'ordre psychologique et social, que son engagement est absolument décisif.

Comment est-il possible d'effectuer de tels investissements ? Peut-on vraiment obtenir le renversement des priorités qui est indispensable pour que ces investissements puissent être enfin effectués ?

Le problème, à notre avis, n'est pas un problème de ressources financières, ni même un problème de priorité politique ; c'est avant tout un problème de conversion intellectuelle.

Nos ressources financières et humaines sont naturellement

très limitées et la capacité politique d'action de n'importe quel gouvernement est en fait extraordinairement réduite. Mais l'impuissance qui en résulte tient beaucoup plus au fait que toutes ses ressources et capacités sont à l'avance engagées et bloquées dans le maintien d'actions de soutien, *dont le résultat restera parfaitement inutile tant que la capacité organisationnelle ou la capacité systémique des institutions du secteur en cause demeureront aussi faibles.* Apprendre à concentrer les ressources de la collectivité sur les points clés des systèmes qu'il s'agit d'aider à sortir des cercles vicieux qu'on déplore, au lieu de prendre en charge les conséquences défavorables de ces malfonctionnements, en contribuant ainsi à les perpétuer, constitue le seul moyen de sortir de notre impuissance.

Pour y parvenir, trois grandes lignes d'orientation intellectuelle doivent être favorisées dans toutes les activités de direction de la société.

Tout d'abord, priorité doit être donnée à la constitution d'une capacité d'analyse sérieuse. Les dirigeants politiques, administratifs et même économiques, étouffent sous les synthèses brillantes, mais ne disposent pas des capacités d'analyse indispensables pour prendre des décisions prospectives. Aucun programme, aucune action administrative ne devrait pouvoir être entreprise sans qu'un diagnostic ait pu être établi sur le système complexe, à l'intérieur duquel ce programme ou cette action s'exerceront. Tant qu'on ne connaît pas les nœuds de pouvoir et les modes de régulation de ces systèmes, les plus séduisantes entreprises conduisent au gaspillage. La nouvelle vogue des études ne constitue qu'une fausse réponse à ce besoin. La société française de fait ne s'est jamais si mal connue. Les études sont faites pour justifier les pratiques existantes, non pour les connaître. L'investisement en capacité d'analyse est plus urgent que n'importe quel investissement économique, même très moderniste.

Le second effort doit porter sur la compréhension du changement et des types de conduite propres à le diriger. Aucun changement sérieux ne peut s'effectuer sans un pénible renversement de pratiques profondément ancrées, dont une analyse véritablement compréhensive montre qu'elles sont à leur niveau rationnelles et même bénéfiques. Dans le système français, un tel renversement ne s'est jamais jusqu'à présent effectué sans crise. Nous avons en même temps une peur panique devant ces crises et une fascination pour elles. Ce que nous devons apprendre, c'est à les provoquer et à les diriger.

Le troisième effort concerne l'attitude envers les institutions. Nous refusons de nous en occuper. Seul l'individu et la Loi (ou l'Etat ou le Régime ou la Révolution) comptent. Mais aucun programme ne peut être réalisé, aucun objectif ne peut être atteint sans qu'une institution formelle ou informelle n'en gère les résultats. Nous légiférons sur l'Education ou sur la Santé, mais personne ne veut s'occuper d'apprendre à créer, à gérer, à développer, à animer un corps social aussi complexe qu'une université ou un hôpital.

La capacité d'action d'une société, sa possibilité de se poser des problèmes, de découvrir des solutions et de les mettre en œuvre, son aptitude à innover dépendent essentiellement de sa richesse institutionnelle.

Qu'elles soient formelles ou informelles, les institutions sont les instruments de la coopération humaine. Aucune tâche ne devrait être plus exaltante que leur développement. Mais, pour la mener à bien, on ne peut se contenter de *l'imagination* redécouverte au mois de mai, il faut faire appel à d'autres vertus dont la qualité intellectuelle avait été tout autant oubliée : la *patience* et le *courage*.

POSTFACE

J'ai eu la chance d'avoir vécu à Nanterre la crise du mois de mai et l'année de tumultes qui l'a précédée.

Les chapitres VII et VIII sont nés de l'expérience que j'y ai faite.

Beaucoup de mes étudiants à cette époque ont été surpris que je ne me joigne pas à eux. Pourquoi, me disaient-ils, vous qui êtes le critique le plus sévère de la bureaucratie française, ne participez-vous pas à la lutte que nous menons contre elle ? Pourquoi, puisque vous avez fait la démonstration que la société française ne changeait que par crise, vous opposez-vous à la crise que nous avons déclenchée ?

Ce livre est dans une certaine mesure la réponse aux questions qu'ils me posaient. Mais ma répugnance à suivre leur action était certainement l'expression d'une réaction instinctive. Aussi, me semble-t-il plus honnête de présenter à mes lecteurs la position publique qui fut la mienne, au cœur de l'événement, et que j'exprimais dans un texte — le 20 mai 1968 — à la demande et pour le compte du Club Jean-Moulin, sous le titre de *Lettre aux étudiants*.

On trouvera, à sa suite, un second texte, la prise de position publique qui fut la mienne à l'occasion du référendum d'avril 1969. Ce texte fut en effet pour moi dans cet autre moment crucial comme une traduction en langage politique des idées exprimées dans ce livre sur la société bloquée. A ce titre il apportera peut-être un dernier éclairage utile sur la signification de ces idées.

LETTRE AUX ÉTUDIANTS

Vous êtes en train de vivre la crise la plus profonde que la société française ait vécue depuis un siècle. Cette crise est de nature différente de toutes celles que vos aînés ont vécues. Ne sont pas seulement en cause, en effet, des privilèges juridiques ou des situations économiques, mais un système intellectuel et les rapports humains qui le soustendent.

Vous vous êtes dressés contre l'absurde, contre le non-sens, contre la caricature qu'avaient donnée de nous-mêmes et de notre tradition scientifique des générations d'universitaires pédants, de bureaucrates bornés et de révolutionnaires autoritaires. La France était en train de perdre la bataille de l'intelligence. Et, dans cette société qui pourrissait par la tête, nul secteur n'était plus atteint que cette « université » peuplée de mandarins au grand cœur, de règlements tatillons, d'obséquiosité et de bêtise académique.

Vous avez eu le courage de dire non et l'incroyable faiblesse d'un système où plus rien de vivant n'apparaissait a été révélée tout d'un coup aux yeux de tous. Ce que vous croyiez vous-mêmes impensable est arrivé. Le système a éclaté, les barrières ont sauté et, dans un immense soulagement, les milliers de cellules de base qui constituent la vie intellectuelle de ce pays ont senti tout d'un coup la vigueur de leur propre activité créatrice.

Mais la révolution que vous avez commencée est une révolution culturelle, non pas une révolution sociale. On ne peut ni la récupérer, ni la concrétiser par des formules juridiques, si avancées qu'elles puissent paraître. Et c'est à ce niveau que vous devez mesurer et votre responsabilité et le risque que vous courez.

N'oubliez pas que vous êtes vous-mêmes porteurs de la même culture que les enseignants contre lesquels vous vous êtes dressés et que, si vous les avez pris à leur propre piège en démasquant le piètre alibi qu'ils donnaient à leur impuissance en accusant l'Etat, vous avez, vous aussi, au moins inconsciemment, participé au même jeu. Vous ne réussirez à innover vraiment que dans la mesure où vous aurez réussi à surmonter vos réflexes les plus profonds.

Il ne s'agit pas de s'installer dans le délire, même si ce délire vous avez pu le communiquer à la France entière. Les malades ont souvent ainsi l'impression de résoudre leurs contradictions dans un état second où tout paraît possible. Dans l'embrasement général toute barrière disparaît, les individus se fondent dans un groupe unanime où tout le monde parle à tout le monde. Dans l'univers de ce discours, différences et oppositions s'effacent trop facilement.

Mais la discussion permanente et la démocratie directe ne seraient le meilleur mode de gouvernement que si elles étaient possibles. Elles ne le sont pas. Il faudra bien reconnaître que les enseignants et les enseignés ne peuvent se fondre dans une même communauté parfaite. Si justifiée que soit la méfiance que vous avez à leur égard, il vous faudra bien des enseignants. Vous les voudriez différents, vous voudriez qu'ils vous aident à apprendre au lieu de vous déverser mécaniquement des cours que le temps et la pratique de la chaire ont rendus parfaitement insignifiants. Mais pour qu'ils en soient capables, il faut qu'ils deviennent libres et, contrairement à ce que rêvent beaucoup d'entre vous (et d'ailleurs aussi le gouvernement), ils ne le deviendront que s'ils vous échappent, c'est-à-dire s'ils se recrutent et se déterminent en dehors de vous, et s'ils sont obligés, pour retrouver à vos yeux du prestige, de consacrer le meilleur d'eux-mêmes à la science vivante, c'est-à-dire la recherche.

Il y a, dans votre mouvement, la tentation de la communauté close, du groupe idéal, autonome et complet, bien enfermé dans une constitution juridique. Si vous y cédez, vous reproduirez finalement le modèle traditionnel dont vous voulez sortir. Vos professeurs seront vos prisonniers comme vous étiez les leurs. Vous n'aurez pas d'enseignants vivants, mais seulement le règne des médiocres.

La révolution que vous avez déclenchée — et c'est sa vertu — pose plus de problèmes qu'elle n'en résoud, mais il en est un que vous ne pouvez éluder car il commande tous les autres, c'est celui de l'autonomie. On n'exorcise pas le système bureaucratique qui régit depuis deux cents ans la France comme l'Université avec un mot aussi vague.

L'autonomie est la meilleure mais aussi la pire des solutions. Elle peut amener très vite tout autant la sclérose que la hiérarchie bureaucratique contre laquelle vous voulez l'affirmer. Vous ne vous protégerez pas contre les retours du monstre en cherchant des garanties juridiques ou financières, mais en ouvrant enfin les fenêtres vers le monde extérieur.

Certains d'entre vous y songent ; les révolutionnaires veulent faire appel aux syndicats ouvriers ou plutôt aux groupes de jeunes ouvriers qui s'émancipent à leur tour de leurs appareils ; les modérés pensent à l'introduction de personnalités représentatives dans des conseils d'administration. De telles tentatives sont vouées à l'échec tant qu'une certaine forme de concurrence n'aura pas été introduite au sein même de l'Université. Il ne suffit pas que chaque institut, faculté ou école se déclare république populaire autonome pour que les rapports enseignants-enseignés sortent du cercle vicieux traditionnel de contrôle tatillon et d'irresponsabilité goguenarde. Seule la concurrence peut introduire l'innovation au bon moment, maintenir les hommes vivants et créer un climat de développement dans une institution.

Certes des établissements autonomes peuvent mieux gérer des bibliothèques, des moyens techniques, des restaurants. Dans nombre de cas, des réformes aboutissant à une décentralisation de la gestion (paritaire ou non) constitueraient déjà un grand pas en avant. Mais le problème n'est pas un problème de choix entre les hommes et entre les projets.

De tels choix exigent responsabilité et sanction de la responsabilité. Pour affirmer et maintenir cette responsabilité, il n'y a d'autre recours que la concurrence. C'est de l'affirmation et de l'organisation de cette concurrence que dépendront votre réussite et la réussite des universités et du monde scientifique français.

L'innovation ne dépend pas seulement toutefois de la concurrence entre les institutions ; elle exige en même temps que disparaissent les castes. Vous avez posé le problème indirectement mais, si difficile que ce soit, il faut aller plus avant. Vous ne supprimerez le scandale des relations de dépendance hiérarchique dont vous subissiez le contrecoup que si vous réussissez à déclencher chez les enseignants une révolution parallèle à la vôtre qui mette fin définitivement au système des castes. La meilleure solution actuellement ce serait de multiplier, le plus rapidement possible, le nombre des professeurs. Mais ce doublement, ce triplement, en attendant mieux, ne peut être effectué de la façon bureaucratique traditionnelle par intégration des castes inférieures. Il faut qu'il s'accomplisse à travers une formation nouvelle donnée dans des conditions totalement différentes de celles qui prévalaient dans la préparation des concours. Pourquoi ne pas faire appel aux instituts de recherche scientifique faisant autorité et leur demander d'assurer le plus rapidement possible la formation des assistants et maîtres-assistants capables de prendre de véritables responsabilités, à qui on donnerait immédiatement le statut de professeurs ? Pourquoi aussi, et surtout, ne pas attaquer le plus rapidement possible, avant que les structures ne se referment sur elles-mêmes, ces pierres angulaires du vieux système : les grands concours et les agrégations ? Et, avant qu'elles ne tombent, pourquoi ne pas constituer tout de suite un système de remplacement concurrentiel à partir des doctorats de troisième cycle ?

Mais de toute façon, il n'apparaît pas possible que vous puissiez véritablement réformer les vieilles structures uniquement de l'intérieur. Votre seule chance, notre seule chance de concrétiser les immenses possibilités de transfor-

mation que vous avez ouvertes, c'est d'exiger la création
de nouveaux établissements expérimentaux, ou plutôt —
allons plus loin — c'est d'obtenir que tous les établissements nouveaux qu'il est désormais indispensable de créer
soient effectivement des établissements expérimentaux. Et
la première condition du maintien de leur volonté expérimentale, c'est-à-dire concurrentielle, c'est qu'ils n'aient pas
de ressort géographique, c'est-à-dire qu'ils puissent librement recruter leurs étudiants, comme leurs professeurs,
sans distinction d'origine géographique ou de caste man-
darinale.

Bien sûr, il faudra par ailleurs obliger le ministère de
l'Education nationale à renoncer à tous ses pouvoirs de
gestion. Bien sûr, il faudra supprimer, avec le poste absurde
de recteur, les liens qui unissent les universités et l'enseignement secondaire. Mais avant toute réforme administrative et conditionnant son succès, c'est la pression d'unités
concurrentielles qui peut, seule, rendre l'espoir et la force
de combattre à toutes les cellules qui en gardaient encore
la capacité.

Vous avez réveillé le moribond. Il faut maintenant tenter
de vivre.

TABLE

II

LA SOCIÉTÉ FRANÇAISE COMME
SOCIÉTÉ BLOQUÉE

FIRMIN-DIDOT S.A., PARIS-MESNIL (5-80)
D.L. 3e TRIM. 1971. No 2874-4 (6183)

Collection Points

SÉRIE POLITIQUE

SÉRIE ACTUELS